CW00542388

Dimensões Obscuras
e Sistemas Mágicos

Asamod

Direitos reservados

Nenhuma parte deste livro pode ser reproduzida por qualquer processo mecânico, fotográfico ou eletrónico, ou sob a forma de gravação fonográfica-sem permissão prévia por escrito do autor.

Nos termos do art. 12.º do Código do Direito de Autor e dos Direitos Conexos, o direito de autor é reconhecido independentemente do registo, depósito ou qualquer outra formalidade.

Se reeditar, transformar ou reproduzir este material, não poderá distribuir o material modificado.

© 2021 Asamod ka

"No caminho das altas ciências, não convém empenhar-se temerariamente, mas, uma vez em caminho, é preciso, chegar ou perecer. Duvidar é ficar louco; parar é cair; voltar para trás é precipitar-se num abismo."

Dogma e Ritual da Alta Magia

Eliphas Levi

Índice

Introdução .... 10 a 16
Luciferianismo .... 18 a 22
Sincretismo na bruxaria Italiana 23
Melek Taus 24
Quatro pilares do Luciferianismo .... 25 e 26
Pacto com Lúcifer 27
Saudações, invocações .... 28 a 29
Prece a Lúcifer .... 31 e 32
Exemplo de um altar 33
Absorção de uma divindade 38
Meditação na postura de Baphomet .... 39 e 40
Magia cerimonial em grupo 42
Ritual gnóstico luciferiano .... 43 a 46
Black flame .... 48 a 50
Sigilo de Lúcifer .... 52 a 58
Quadrado mágico (notas) .... 59 e 60
Dragão, Via draconiana 63
Lúcifer fala .... 63 e 64
Ritual de Prometeus .... 66 e 67
Invocação e dedicação a Enki- Magia suméria .... 69 a 71
Meditação com a estrela de Ishtar .... 73 a 76
Invocação à sabedoria de Lumiel 78
Criar entidades astrais .... 81 a 86
A verdadeira Goétia – introdução .... 89 a 99
(origem dos nomes dos demónios) ....
Local para os rituais 100
Os sigilos .... 101 a 103
Manifestação 104
Círculo mágico .... 105 e 106
Altar 107
Invocações 107
Tipos de ritos 108
Hierarquias .... 109 e 110
Leis da Magia .... 112 a 117
Prática 118
Apolo / Abbadon .... 118 a 121
Amon (feitiços e invocações)..................... 122 a 127
Astarte / Astoreth .... 129 a 130
Lilitu .... 131 a 134
Ba'al .... 135 a 138
Damballa .... 139 a 142

Elegbá .... 143 a 146
Heka .... 148 a 151
Hécate .... 152 e 153
Kali .... 155 a 159
Ketesh .... 160 e 161
Lamashtu .... 163 a 165
Lúcifer .... 167 a 169
Mamitu .... 171 e 172
Nergal ....174 a 176
Pazuzu .... 178 a 183
Sekhmet .... 185 a 187
Sobek .... 189 a 192
Tiamat .... 194 a 197
Sigilos .... 199 e 200
Ervas mágicas .... 202 e 203
Tipos de velas 204
Nota final .... 205 e 206
Bibliografia 209

Caro leitor,

Ao adquirir este livro espero que tenha em consciência a responsabilidade de o ler, compreender e praticar os seus ritos. É um livro recomendável ao praticante ocultista de experiência média ou avançada.

Uso um pseudónimo, *Asamod*, por ser mestre numa conhecida ordem esotérica, que não se inclina muito à revelação de ritos e ensinamento aos profanos (seculares).

Asamod é uma variável de *Asmodeus*, mas em hebraico Asamod significa destruir e em persa *Azmonden* significa tentar ou colocar à prova.

Escolhi o nome pela vibração e para simbolizar que pretendo romper/destruir velhos paradigmas.

A verdadeira raiz antecessora do termo é *Aeshma-daeva*, um demónio da mitologia Persa no Zoroastrismo, da fúria e luxúria, mas que por vezes era interpretado como "o anjo que brilha"...

Alguns interpretam *daēva* como "demónio", mas é impreciso, no hinduísmo devas são espíritos divinos, na mitologia Persa nem todos os *daēva* eram negativos.

O título deste livro é **"Dimensões Obscuras e Sistemas Mágicos"** para ser um nome diferente e por se tratar de um compêndio de diversos sistemas mágicos, e devidos rituais, desde magia sexual, luciferiana, ensinamentos da Ordo Illuminati, O.T.O, Golden Dawn entre outros.

Recomendo ler o meu outro *livro "Formulário Mágico -620 Feitiços"* com cerca de 382 páginas, na Amazon.

Acredite sempre no seu poder, busque a sua própria verdade, nunca permita que o desencorajam.

Só existem duas verdades, uma exterior e a outra interior. Uma encoberta pela verdade, outra encoberta pela escuridão.

A magia é uma arte, é neutra. A magia não tem cor "negra", "cinza" ou "branca", é a intenção do mago que determina a polaridade e o resultado.

Acredito que a magia mais "sombria" utiliza a manipulação da energia escura (sim, a mesma que forma 90% do universo, invisível ao nosso olhar). Na física quântica também podem referir-se, por vezes, à energia do ponto-zero, sendo um plano invisível que nos rodeia, de onde emergem as partículas virtuais e todas as vibrações, onde nascem as probabilidades.

Magia é direcionamento de energia, sob comando, rumo a um propósito ou para causar um efeito.

A chave para o sucesso mágico é aprender quais as variáveis mais significativas e como mantê-las constantes.

A prática mágica uma certa porção de talento nato, energia emocional, uma atitude recreativa e uma abordagem científica para distinguir o que resulta ou não resulta.

O mago não é aquele que busca por uma identidade particular e limitada, mas aquele que deseja a meta-identidade que o torna capaz de ser qualquer coisa.

Alguns leitores certamente vão discordar do que escrevi, este livro reflete a minha visão enquanto autor. Concentre-se na mensagem em vez do mensageiro.

Nem todos os livros são verdades supremas, a esmagadora maioria de livros de Goétia estão repletos de distorções (nomes de demónios criados pela Inquisição e demonologia judaica, entre mais), e leitores despreparados acabam a evocar egrégoras negativas e arquétipos do inconsciente coletivo. A demonologia Judaica e os seus demónios, foram também incorporados sincreticamente na Quimbanda, por exemplo, em que a maioria de Exús equivalem a demónios goéticos.

Demónios são deuses pagãos pré-cristãos que a Igreja católica "demonizou" para assustar as pessoas e impedi-las de praticar magia.

Exemplos: Deus romano Lúcifer deus solar Amon (egípcio), Astaroth foi inspirado na deusa fenícia Astarte (deusa Ishtar na Babilónia).

"Um deus ignorado é um demónio nascido."

Daemon na mitologia grega, é um espírito intermediário entre os homens e Deuses. *Daemons*, como aquele que guiou Sócrates, atuam como conselheiros e guardiões aos seres humanos.

Na Encyclopædia Britannica, edição de 1973, *daemon* é um termo grego para um poder sobrenatural.

"Saber que deus tem influência nos deuses, os deuses nos astros (os seus corpos), os astros nos *daemones* (senhores elementais), os *daemones* nos elementais, os elementos nos mistos, os mistos nos sentidos, os sentidos na alma (anima ou vida), a alma no animal interior (o ser vivente), e este é o descer da escala.
A ascensão, que é a Obra do verdadeiro Mago, é o caminho inverso"

(Giordano Bruno 1548-1600)

Caminho da mão direita ou caminho da mão esquerda, anjos e demónios, são apenas conceitos sobre polaridades opostas. Toda a partícula possui a sua antipartícula. Dualidade divide e cria dois estados diferentes para competir, dualidade serve para perpetuar o caos.

O segredo é harmonizar os opostos, pela polarização, sincronizar os aspetos complementares num só, ver todo o espectro.

Poderia dar uma lição de história, nesta introdução, porém seria maçador. Muitas pessoas foram induzidas a ter receio de praticar magia graças à manipulação por parte da Igreja, desde o tempo da Inquisição, com lendas horripilantes, queima de milhares de livros e pessoas na fogueira.
Mas, na verdade, muitos dos livros de magia não foram queimados, continuam na Biblioteca secreta do Vaticano.

Os maiores praticantes de magia eram bispos de padres, mas queriam manter esse poder oculto longe da população comum. Já ouviu falar nos Grimório do Papa Honório e no *Enchiridion* do Papa Leão III?

A maioria de demónios eram divindades romanas, gregas, ou babilónicas, que a Igreja "demonizou" através de lendas desvirtualizadoras.
São eles que, ao longo dos séculos, criaram e alimentaram essas egrégoras.

Algumas verdades são atraentes para uma mente forte, porém são ofensivas para uma mente frágil.

O caro leitor é um operador mágico, é um microcosmo, e quando se sintoniza com o Macrocosmo gera um novo universo.

Seja o seu próprio mestre.

Explore a verdadeira natureza do seu ser, mova-se pelas dimensões obscuras e pelo poder interior. Desperte a chama.

Estenda o domínio da sua consciência, bem como o controlo sobre todas as forças alheias a esta, até ao mais alto nível.

O mago não é aquele que busca por uma identidade particular e limitada, mas aquele que deseja a meta-identidade que o torna capaz de ser qualquer coisa.

As chaves para o sucesso mágico passam por aprender quais variáveis são mais importantes e mantê-las uma constante.

Evite culpabilizar-se demasiado, se desejar fazer um feitiço de atração amorosa, ou um vodu para destruir um inimigo, etc. Siga o seu instinto, tem o direito a defender-se. Não existe bom ou mau, existem apenas circunstâncias.

As religiões *New age*, o yoga e Budismo ensinam-nos a "destruir o ego". Isso será certo?

Trabalhar com o ego é iniciar uma alquimia interior, cujo objetivo não é "destruí-lo", nem transcendê-lo, mas mover de um estado de fixação (egocêntrico) para uma condição de mutabilidade (exocêntrico), capaz de constante revisão e mudança.

O ego subsiste como um ponto do *self*, que dá significado para a experiência, ainda que o conteúdo da psique se torne mais fluído. De certo modo, é o ego que enraizamos no espaço-tempo – o equivalente psíquico de ter senso de lugar.

Acredito que todos os sistemas mágicos são úteis, e podemos inclusive combiná-los. Alguns autores talvez discordem, mas cada um tem a sua opinião.

Qualquer sistema mágico, funciona, desde que o mago empregue com convição a sua energia, intenção e foco, em comunhão com as energias espirituais. Pode invocar a energia de determinada entidade, que é um arquétipo ou egrégora, mas noutra religião é conhecida por um nome diferente, porém trata-se da mesma entidade/ energia. Compreende?

Os *loas* no Vodu podem ter nomes diferentes de Orixás no candomblé, mas ser as mesmas energias/ as mesmas correntes vibratórias, entende?

Não existe o caminho certo, apenas aquele caminho que você constrói.

A Magia do Caos, de certo modo, também defende essa ideologia.
Escolha os métodos que melhor se adequam a si, não siga regras concretas, mas desenvolva as suas próprias metodologias, desde que funcionem.
Siga a sua vontade.

O *chaos magician* está sempre a romper velhos paradigmas e a reinventar-se.

Neste formulário "Dimensões Obscuras" divulgo rituais para o praticante solitário, também rituais em grupo (para *Covens*, por exemplo), passo a explicar o motivo:

Os rituais mágicos podem ter dezenas de participantes, cerimónias em grupo são mais fortes, pois gera-se uma egrégora energética que permite à entidade comunicante (espiritual, sobrenatural) ancorar a sua energia neste plano tridimensional e manifestar-se.

Como se um "portal" fosse aberto e estabilizado pela energia emanada das pessoas.

A magia permite-lhe alterar a causalidade, na sua vida.

Todo o evento possui uma causa, controlando a causa controlamos os eventos.

A magia não irá remover obstáculos na sua vida, mas permitirá superá-los com maior autoconfiança e poder.
A magia proporciona uma transformação alquímica interior no praticante.

Guardo muitos segredos, mas aqui revelo apenas 20%.

Alguns pseudossábios que se auto intitulam ex-illuminatis ou sacerdotes Illuminati na internet, regurgitam meias-verdades que encontram online, porém, os seus cérebros não conseguem interpretá-las.

Hoje em dia lemos na internet milhares de sujeitos a afirmar que são dos illuminati, procurando um pouco de exposição. Mas tente puxar por eles, espremendo-os um pouco com perguntas complexas, raramente se evidencia conhecimento concreto. Qualquer fruta quando espremida deveria fornecer algum néctar. Porém, o que mais se encontra são frutos secos.

Gostaria de falar-lhe agora acerca da utilização do sangue em vários rituais e a sua importância.

Porque é que o sangue tem um simbolismo mágico?

Em pactos com o diabo utiliza-se sangue, em vários livros de magia e filmes mostram magia utilizando o sangue.

Na Igreja, na Eucaristia, tomam o vinho simbolizando o sangue derramado de Cristo, isso é também um ritual simbólico e mágico. Se tivermos umas gotas de sangue de uma pessoa podemos afetá-la magicamente.

Mas ninguém explica o motivo, nem explica as propriedades mágicas do sangue em livro algum.

O sangue flui por todo o vosso corpo, possui movimento, contém ferro, assim ganha magnetismo. Além disso, também absorve magnetismo da vossa aura e dos chacras, o sangue é um fluido vital, transporta oxigénio e nutrientes aos órgãos, simbolicamente representa a vossa "vida" e a vossa "alma", mas além de simbolismo o sangue contém registos (memória) das vossas emoções.

É de conhecimento público que a água possui memória, as moléculas de água podem armazenar vibrações e informação, tal como o sangue também pode. É um fluido biomagnético.

Com umas gotas de sangue consegue uma ligação não-local com essa pessoa, entrelaçamento quântico. Pesquise sobre entrelaçamento quântico e sobre efeito fantasma do ADN e irá perceber, como tudo está interligado.

Umas gotas de sangue contêm o nosso ADN, é possível cientificamente clonar um ser vivo usando amostras do seu ADN.

Portanto, entidades sobrenaturais podem ligar-se a nós, (entrelaçamento quântico, não-localidade), através dessas propriedades magnéticas do sangue, que contém informação morfogenética sobre nós e genética.
A ligação é psíquica, espiritual e também através do efeito fantasma do ADN.
Um pacto simboliza comprometimento com uma entidade, mas também uma conexão energético-espiritual sem fronteiras.

Lúcifer não é um anjo caído nem um demónio das trevas.
É um ser angelical muito evoluído, é a outra polaridade divina, poucos irão compreender ou acreditar nisso.
A Elite oculta, o Vaticano, e alguns Maçons iniciados cultuam-no em segredo, o Arquiteto deste universo, mas induzem a população comum a cultuar um conceito errado e humanizado de deus (deus bíblico, Yawé) para não conseguirmos extrair poder da comunhão com a verdadeira divindade.

Luciferismo

O Luciferismo é uma doutrina esotérica de origem gnóstica (cultuam Lúcifer como o portador da luz e senhor do conhecimento). Por vezes utiliza-se o termo Luciferismo para abreviar, mas o mais correto é Luciferianismo.

Esta doutrina pode ser filosófica, esotérica ou prática (ritualística, luciferianismo teísta em que se cultua Lúcifer de forma ativa e como entidade verdadeira em vez de simbólica).

Alguns autores confundem Lúcifer com Satã, talvez por influência dos antigos grimórios ou lendas cristãs. Porém, não são a mesma entidade.

Satã em hebraico *ShTN* significa adversário, mas muito provavelmente foi copiado da mitologia egípcia (como muitas lendas religiosas) e inspirado em Seth (o irmão rebelde de Hórus). Satã era o "adversário" do deus bíblico (que era Enlil, Yawé).

Sat tem raiz em sânscrito.

A palavra em sânscrito Sanaatan ou Sanataana significa "eterno", "fixo", "perpétuo", "onipresente", a "criação fixa" e também "antigo" e "duradouro".

A raiz em sânscrito "Sat", as vezes "Satya", significa "verdade". Satnam, que significa "O Verdadeiro Nome".

Os "Quatro Kumaras" ou grandes Poderes Espirituais são chamados Sanaka, Sanatana, Sanandana e Sanat kumara. Os Quatro Kumaras eram chamados de "Filhos de Brahma".

Simbolizam 4 elementos ou forças cósmicas, mas na Teosofia são mestres ascensos da Grande Fraternidade Branca. Sanat Kumara é o Logos deste planeta.

Satanama é o mais elevado mantra na yoga original e foi feito para transformar a pessoa no corpo de luz. O seu significado é SA, nascimento, TA, vida, NA, transformação e MA, renascimento.

O nome de Satan foi deturpado, o verdadeiro nome que carrega a vibração original dessa entidade é: Satanael.

Na minha opinião, e relembro que o leitor deve pensar por si próprio e buscar a sua verdade, acho tolice invocar "Lúcifer" como príncipe do inferno, ou referir-se a esta deidade como demónio, senhor da chama infernal e expressões do género com conotação negativa.

Livros de Goétia estão repletos de mentiras, lendas distorcidas pela Igreja, em que deuses pagãos foram demonizados para assustar os praticantes de ocultismo curiosos.

Lúcifer é um ser de luz muito evoluído, príncipe criador deste mundo, não é um demónio imundo nem está no inferno. Quem assim pensar é auto iludido e está a invocar egrégoras ou arquétipos ultrapassados, do inconsciente coletivo.
O inferno é uma alusão a um estado de espírito de não realização, ou ainda uma alusão ao chacra básico (sexual) e às energias inferiores e ao fogo sexual.

Inferno é a condição de não ter alternativas.

Céu e inferno são dois espelhos paralelos, refletindo-se um no outro infinitamente, dando-nos a ilusão da vida.

Algumas religiões, como a egípcia, referem-se ao submundo (*Duat*) o *underworld*, significa "mundo por baixo, ou inferior", mas isso pode ser uma alusão a um infra-mundo, uma infra-dimensão (realidade paralela, por exemplo), na religião suméria era o Irkalla, no hinduísmo Patala.

Você decide. Cada qual atrai a realidade em que acredita.

Em inglês a expressão para inferno é "Hell" o nome é inspirado na deusa do submundo na mitologia nórdica, a deusa Hel (Hela, Hel ou Hell). Hel foi banida por Odin para o mundo inferior que recebeu seu nome, Helheim.

Lúcifer

Antes de ser "demonizado" pela Igreja católica, Lúcifer era cultuado pelos gregos (era Fósforo), romanos e atlantes, era igualmente um dos nomes pelo qual era conhecido o planeta Vénus (a estrela matutina no céu). Lucem + ferre ou lux (luz) e ferre (portador) simboliza o portador da Luz, que é conhecimento. Trouxe luz à consciência do ser humano no início dos tempos. Lúcifer é ainda o espírito do elemento Ar.

Ele é ainda o senhor da luz (luz astral) tem domínio sobre o plano astral e a luz astral (aether).

O deus grego Fósforo representava Lúcifer, mas como "Vénus", estrela matutina, a nascer no céu, ao passo que o irmão Héspero simbolizava vénus a descer no céu. Em grego *phos* (luz) e o sufixo *"phoros"* (portador) significa portador da luz (tal como Lúcifer), os romanos chamavam-lhe *Nocturnus* ou *Noctifer*.

Existe outro paralelo entre Lúcifer e Prometeus, que roubou o fogo de Héstia e deu aos humanos (o fogo é o conhecimento, ou algum tipo de poder como a energia prana, sekhm). Fogo secreto, que traz conhecimento e destrói as ilusões.   Repare na semelhança entre o nome phosphorus e horús (phosp+horus).

Na Bíblia hebraica Lúcifer era mencionado como Heylel ben-Shahar (o que brilha). Também o associam ao deus solar mesopotâmio Shamash (šamaš) senhor da luz.

Por vezes associam Lúcifer ao deus egípcio Amun-Ra.
Amún significa oculto (aspeto não visível e misterioso da divindade) Rá simboliza o sol, mas ainda a luz, a consciência inteligente que permeia todo o universo.

Para o adepto praticante, incorporar o arquétipo de Lúcifer simboliza buscar a sua luz interior, o autoconhecimento.

Pode optar por chamar-lhe por um dos seus outros nomes mitológicos, pois tem muitos, como Luzbel, Lumiel, Filho da manhã, Enki, Heylel Ben-Sahar, ou simplesmente Heylel, ou filho de Shahár (filho da Aurora). O que importa é na sua mente ter consciência que o está a invocar a Ele.

Na minha visão muito própria, acredito que Lúcifer é uma entidade verdadeira (e não meramente simbólica como prega o luciferianismo agnóstico), que existe antes da humanidade (portanto não é arquétipo nem egrégora criada pelo inconsciente coletivo). Considero-me, portanto, luciferiano teísta.

E, além disso, dissocio-O de quaisquer simbolismos inferiores (seja inferno, chamas infernais, hierarquias demoníacas). Certas invocações e evocações de grimórios antigos chegam a ser ofensivas para esta entidade.

As lendas católicas assustam as pessoas com o conceito de "fogo eterno" no inferno, almas a arder.

A razão de alguns livros associarem demónios às "chamas" nada tem a ver com fogo real, mas esses seres extradimensionais quando entram na nossa realidade estão envoltos por uma luz e brilho intenso, que parece "fogo".

É um fogo etéreo (*aether*), luz cósmica, prana, éter luminífero, agni (existe uma deusa com o nome Agni, mas esse termo Agni em sânscrito significa fogo).

Reflita um pouco:
Magos e bruxos há séculos atrás tinham outra mentalidade e uma compreensão menos abrangente acerca destes fenómenos espirituais e das entidades espirituais. Atualmente, em pleno século 21, temos uma compreensão diferente destas realidades.

É imprescindível romper velhos paradigmas e evoluir.

Livros antigos não são a "ultima palavra", o conhecimento progride, transmuta-se.

Lúcifer não é um "anjo caído" nem foi expulso do céu, as lendas humanas são formas incompletas de descrever realidades mal compreendidas. Lúcifer é um ser extradimensional, Ele pode reentrar no nosso plano dimensional quando lhe aprouver.

Lúcifer era o Anunnaki (deus extraterrestre mencionado pelos Sumérios) de nome ENKI, o EN.KI era a mitológica "serpente" no jardim do Éden que iniciou Adão e Eva nas tradições esotéricas (irmandade da serpente). Outro título para ele era *Nachash* (serpente) que significa "Aquele que possui conhecimento".

Adão e Eva são nomes representativos, não se tratava de apenas um casal, mas sim uma raça de homens (Adapa, Adamus) e mulheres (Ewa).

O arquétipo da serpente foi também inspirado na mitologia egípcia. Kneph era uma serpente, força criadora do universo, pode traduzir-se como "Sopro da vida", por vezes representavam-na como um ovo com asas, ou uma serpente enrolada em volta de um ovo.

21

O conhecimento é negativo?
O conhecimento é neutro, nós decidimos como aplicá-lo.

Livre-arbítrio com consciência e vontade com discernimento.

A título de curiosidade posso dizer-lhe porque é que Lúcifer é associado a Satã, algumas vezes, representando o adversário de Deus.

Repare que, o deus da bíblia judaica era Yawé, YHVH, que na verdade era o irmão Anunnaki rebelde: Enlil, o qual rivalizava com o irmão Enki. Portanto, esse "deus" acusava Enki (Lúcifer) de ser adversário.

Yawé pode ter sido ainda inspirado no nome duma divindade lunar egípcia, que era Yah (Yaeh).

Vários mitos tiveram irmãs adversários, Hórus tinha Seth, Thor tinha Loki. São entidades oriundas da mesma força cósmica, mas com polaridades diferentes. O Universo é um equilíbrio entre polaridades: bem e mal, matéria comum e antimatéria, energia comum e a energia escura, fotão e anti fotão, Universo e anti-universo.

Lúcifer foi conhecido por variadíssimos nomes em religiões diferentes, ao longo dos milénios. Cada povo e cada tradição foi interpretando nomes diferentes.

Sincretismo na Bruxaria Italiana (Stregheria).

O Deus das bruxas Italianas (Stregas) é "Dianus Lucífero". Irmão da Deusa Diana, na sua simbologia é O Senhor da Luz. É o deus cornífero, o ancião, senhor das florestas, sincretismo com Pã.

Iazidis:

Os Iazidis (ou Yazidis) acreditavam que o mundo foi criado por um arcanjo Melek Taus (ou Malak Ta'us) e sete seres sagrados, sirr heft (sete mistérios), esse deus era representado por um pavão. Yazidis significa "O povo do anjo".

Tudo isso é simbólico. Obviamente religiões rivais (como a religião cristã) prontamente descrevem esse deus como negativo. Melek significa Rei. O Pavão tem uma cauda com "olhos" na sua penugem, simboliza uma divindade com milhares de olhos, portanto omnisciente e omnipresente.

As "cores do arco-íris em cada pena simbolizam as *kalas* ou cores dos raios da corrente mágica".

O "leque" da cauda do pavão a abrir simboliza o desdobrar de muitos mundos, várias realidades.

É "um símbolo dos processos alquímicos de transmutação e os estágios de desenvolvimento na consciência daquele que procura.

A tradição Sufi tem um mito que diz que, quando a Luz foi criada e contemplada pela primeira vez, tinha forma de um pavão. Era uma divindade Solar, tal como os egípcios os Iazidis adoravam o Sol. Tinha cinco orações, sempre viradas para o sol, as principais eram a oração para o nascer do Sol e a do pôr-do-sol.

No hinduísmo algumas entidades eram simbolizadas pelo pavão, nomeadamente: Lakshmi, Skanda-Karttikeya e Kamadeva.

A plumagem do pavão lembra o céu estrelado, o pavão representou Hera, filha de Kronos e Rheae esposa/irmã do pai do panteão grego, Zeus.

Os Yazidis acreditam que o Ser Supremo, o Criador cósmico ou Deus do Universo, passou o trabalho de criar a vida na Terra aos sete deuses menores ou anjos. De acordo com a crença, Deus poderia ter-se eximido da tarefa de criação ou ido embora para criar novos universos.

De acordo com eles, aquele que governa a nossa parte do Universo é Melek Taus ou Azazel, o Anjo-Pavão, que é o Senhor deste Mundo. É a fonte da revelação divina, o controlador da vida e da morte e o líder dos outros anjos que controlam os sete planetas.

Melek Taus fala:

"Sou também uma estrela no firmamento, única, existente por si mesma, uma essência individual e incorrupta. Sou, também, uma alma. Sou idêntico a tudo e a nada.
Estou em tudo e o Todo está em mim, sou um deus, verdadeiro deus do Deus verdadeiro. Sigo o meu caminho para realizar a minha vontade.
Faço da matéria e do movimento do espelho da minha consciência.

Sou onisciente porque nada existe para mim a menos que seja do meu conhecimento.
Sou omnipotente, porque nada existe além da minha perceção, eu que modelo o espaço como uma condição da consciência de mim mesmo.

Tudo o que existe para mim, é uma expressão necessária no pensamento de algumas tendências da minha natureza e todos os pensamentos são única e exclusivamente letras do meu Nome".

Quatro pilares do Luciferianismo

Poder

A sensação de poder é algo bom; lutar para superar os obstáculos e vencer a fraqueza interior é uma poderosa eucaristia no Luciferiano.
A capacidade de aumentar o poder pessoal e aumentá-lo estrategicamente na sua vida é a força do nosso conhecimento, aumentando a nossa contínua Apoteose.
Não abuse ou use abertamente o poder que adquire, a aplicação sutil e estratégica da sua vontade validaria que é melhor ser contido e sempre testando os seus pontos fortes e fracos.

Equilíbrio

Entregue-se e desfrute dos prazeres deste mundo, vigilante, porém para não cair nas armadilhas e testes das tentações que lentamente se desintegram e geram mais fraquezas.
Se é um mago cerimonial, esforce-se sempre fora da câmara ritual para pensar racional e logicamente.
O teste para se acender e tornar-se no modelo de Lúcifer é reconhecer e compreender que a dualidade é uma mentira e não existe.
Ninguém ou nada é totalmente criativo ou "bom", nem totalmente "mau" ou destrutivo.
Se assim fosse, o sujeito dissolver-se-ia rapidamente na aniquilação total da existência.

Sabedoria

O conhecimento é uma ferramenta e aquilo que buscamos, então, entendê-la e aplicá-la na nossa iniciação e objetivos na vida.
A sabedoria é o resultado da experiência e do *insight* muitas vezes dolorosamente adquirido por esta. Muitos podem ler "segredos" de conhecimentos proibidos, mas se não os entendem nem possuem os meios para aplicá-los, falta sabedoria e os resultados ficam turvos na falta de validação.

Força

O poder mental é lentamente testado e aprimorado pelo foco consistente na formação de hábitos e por um nível de disciplina para ver as coisas até ao fim, não importa o quanto queira desistir ou seguir a fraqueza dos nossos pensamentos e interesses fugazes.

Aprenda a controlar os seus pensamentos por meio da meditação e das vastas ferramentas apresentadas nas publicações e grimórios.

A Força de vontade para superar, conquistar e resistir à pressão dos colegas é uma validação fundamental de que possui a chama Negra e o espírito luciferiano.

Visite locais de poder.

Transcenda a si mesmo.

Conquiste os seus medos.

Reconheça o seu poder.

Dedique a sua mente ao conhecimento, devote a sua alma à iluminação.

Pacto com Lúcifer

Existem na internet, e alguns livros, inúmeras variantes de pactos, cada um mais bizarro que outro.

Não acredito em pactos que, o praticante, terá que vender a própria alma a Lúcifer e assinar com sangue.

Devo esclarecer, Lúcifer não se interessaria pela alma de qualquer indivíduo vulgar. Uma alma significa todo o somatório das suas vivências, aprendizagem espiritual e vibração energética. Portanto, há almas vazias e há almas de potencial elevado. Um indivíduo que levou anos de prática e estudo espiritual e se elevou espiritualmente, tem obviamente uma alma mais "apetecível".

O verdadeiro pacto não consiste em vender a sua alma, em abdicar da mesma. Consiste em aceitar Lúcifer como O seu verdadeiro Deus, respeitá-lo, honrá-lo, cultuá-lo regularmente, esse vínculo espiritual é que é um pacto.

Assinar um pergaminho, declarando esse comprometimento, à luz de velas rituais frente a um altar, é apenas protocolo, é simbolismo.

Eu, além do pacto e comprometimento, tatuei no meu corpo o sigilo de Lúcifer, com 8 cm de diâmetro. A tatuagem é definitiva, portanto simboliza comprometimento sério e deificação, além disso, acredito no poder interior que os símbolos evocam.
Os símbolos têm o poder que lhes atribuirmos, mesmo sendo poder interior é poder.

Poderá optar por usar um talismã ao peito com o sigilo de Lúcifer (em metal nobre, aço ou prata) e consagre-o periodicamente no fumo do incenso, durante um ritual.

Altar

Prepare um altar a seu gosto. Eu, particularmente, não uso nenhum símbolo infernal ou negativo (pentagrama invertido faz alusão a Satã), tridente faz alusão ao inferno e a Satã, por exemplo.

Então uso no altar o sigilo oficial de Lúcifer, é o suficiente.

Elementos essenciais de todo o altar cerimonial, que são: Cálice, castiçais, incensário, sino de metal, athame, tigela ou pires de metal, etc.

Uma toalha ou pano para cobrir o altar, utilizo cores que lembram a LUZ, e Conhecimento e Pureza de Lúcifer (portanto branco ou dourado). Raramente uso o preto.   O preto relembra a escuridão, as trevas, a dissolução.

Mas, relembro, isso fica ao critério de cada um, consoante a sua crença ou gosto pessoal.

Antes do ritual e vínculo espiritual (pacto), tome um banho de ervas para limpeza corporal e espiritual.

Vista uma túnica ou robe cerimonial branco.

Acenda uma vela branca, e alguns incensos se quiser.

Toque o sino 9 vezes.

Saudações, Invocações

"Lúcifer, Fósforo, estrela da manhã!
Surge do romper da noite. Preenche-me com a Tua essência estelar (divina), deixa a luz da Tua coroa iluminar a minha alma.
Que Sejas a estrela que me guia pelo vazio, deixa-me ver a radiância da Tua chama divina.
O Teu fogo divino destrói as ilusões e revela a verdadeira natureza do mundo.

É uma honra poder servir-Te e carregar a tua luz, iluminando o caminho até ao Teu trono, entre as estrelas."

Pode escolher dirigir-se a Lúcifer tratando-o por "você" ou por "Tú", referi-me a Ele sempre em maiúscula como sinal de respeito.

Pode fazer a saudação acima, frente ao altar, segurando uma tigela de metal com uma chama (por exemplo, álcool a arder, ou algo inflamável). Tendo cuidado para ser uma porção pequena, e utilize umas luvas ou um pano ao segurar a tigela (para evitar queimar-se).

Visualize uma luz dourada clara (quase branca, como a luz solar) a iluminar a sua testa e depois o seu corpo. Essa luz simboliza o "fogo" de Lúcifer, fogo esse que é um fogo etéreo, um plasma energético luminoso. Um fogo espiritual, conhecimento e informação.

Pode fazer esta declaração:

Pode escrever a declaração seguinte, num pergaminho, e assinar o seu nome (e pingar umas gotas de sangue do seu dedo mindinho para um vínculo energético e espiritual).

Repita em voz alta:

"Eu proclamo Lúcifer como o meu único Deus.
Comprometo-me a reconhecê-lo e homenageá-lo em todas as coisas, sem reservas, desejando, em contrapartida, a sua assistência multiforme na conclusão bem-sucedida dos meus esforços."

No final termine com:

"Lúcifer aceite este meu sacrifício, aprove esta aliança".

Toque o sino 9 vezes.

Algumas variantes do ritual, indicam que pode queimar o pergaminho, num pires de metal, e que o fogo "envia" para o astral a sua intenção.

É comum fazer-se a saudação em Latim "Lúcifer in Excelsis" (Lúcifer o exalto, grandioso ou enalteço Lúcifer).

Outra frase "Ego sum Invictus!" (Eu sou invencível, invicto, inconquistável).

Se unir as duas frases, a primeira é uma exaltação/ louvor a Lúcifer.

E a frase final significa que você se sente poderoso e inconquistável, cultuando a Lúcifer, ou sob a proteção Luciferina.

Relembro que o pacto não necessita ser muito complexo e extenso, é sobretudo um vínculo de comprometimento, em que aceita Lúcifer como O seu verdadeiro Deus. Dedicará a sua entrega e devoção de vida a Ele.

Prece a Lúcifer:

Lúcifer, estrela da Manhã
Estrela da manhã que brilha nos céus
força rebelde que rasga os véus,
a Ti clamo em momentos de escuridão
a Ti clamo por iluminação, meu Pai de perfeição.

Com as tuas chamas prometeicas iluminaste-me,
chamas fosfóricas destruidoras de ilusão,
abriste-me os olhos para ver coisas sublimes
fizeste-me encontrar o fogo.

Deste-me asas, não sou um seguidor de pegadas
mas voo com as tuas asas.

Estrela Vespertina que nos ilumina
Deus verdadeiro e de bondade,
roubastes o fogo por amor à humanidade
e os teus filhos iluminastes.

Enquanto o rebanho permanece aflito e confundido
temendo um anjo caído
estes só servem para gado,
enquanto os teus filhos a Terra dominarão
e cada vez mais iluminar-se-ão.

Estrela da manhã
Aquele que não se submete a nenhum deus
senhor de luz e poder,
faz-me sábio como Tú és,

Faz-me visível quando preciso e invisível quando necessário,

a Ti dedico estas palavras
a Ti dedico os meus sonhos,
a Ti consagro a minha vida
Senhor todo Poderoso Lúcifer !"

Outra Prece:

"Meu Senhor Lúcifer:
quando as minhas lágrimas vertiam,
só em Ti encontrei o meu caminho,
ó poderoso Senhor das doze asas!

A Ti dei o meu coração na certeza da minha iluminação;
dei o meu destino, na certeza de que a vitória é e sempre será eminente;
dei o meu saber, para que os mitos e lendas fossem arrancados.

Recebi uma chuva de Luz, um manto adornado e uma energia inominável.

Em Ti descobri que tudo posso e que não sou mais uma ovelha figurativa no campo impuro.
Sou uno com as forças regentes e imune aos pecados listados, pois encontro-me acima disso.

Não sigo as tuas pegadas, pois Tu, ó Belo, voas com a liberdade que rasgou os véus.

O Teu nome é uma linda sinfonia, um acorde divino.
Lúcifer, Senhor da complexa síntese e guardião do ómega, verte sobre este filho das Artes negras as mais límpidas águas do saber e preenche-me com a brisa de um amanhã longe do cárcere dogmático.

Salve Lúcifer!

Em nome de Lúcifer tudo é possível.

Em nome de Lúcifer jamais cairei".

Exemplo de um altar

Recordo que o altar é pessoal e preparado ao seu gosto.

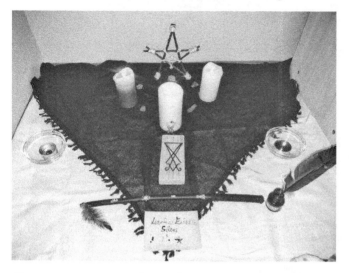

Algumas pessoas usam tapeçaria negra, nesta imagem é branca.

Há um pentagrama em madeira, mas pode colocar o sigilo de Lúcifer. Repare que também há o sigilo de Lúcifer numa placa de madeira cinza. A pena (pluma) para escrever o ritual. Três velas brancas.

Em lojas esotéricas online ou no eBay, pode encontrar utensílios como cálice, estatuetas, *athame*, e inclusive roupa de altar (altar cloth) ou de parede-tapeçaria.

Exemplo de um altar mais *dark*.

Robe cerimonial, escolha a seu gosto, se deseja negro ou branco. Em lojas de ocultismo e paganismo existem, se considerar dispendioso pode optar por mandar costurar um à medida. Algumas lojas de costura fazem um preço mais económico.

Comprei um robe branco, há oito anos, custou-me na época 100 euros. Duram uma vida inteira, são feitos em algodão puro.

Absorção de uma divindade

Algumas tradições mágicas usam o termo de *Viadescioism* ou *Divine absorption* (absorção divina). Prefiro o termo: Incorporação de divindade, pois é disso que se trata, você incorpora uma entidade.

Isso não significa que seja possuído por uma entidade que entra dentro do seu corpo. Irá sim, sintonizar-se com a energia/frequência de uma divindade que escolher invocar, com a qual tiver ressonância energética, e despertar as suas forças interiores. Por exemplo, entre o panteão de deidades egípcias vamos supor que sente maior afinidade com Osíris.

Mas obviamente como falamos em Luciferianismo, pode incorporar Lúcifer.

Comece por preparar um pequeno altar de culto a essa divindade, diariamente acenda velas e faça oração de homenagem a essa divindade, leia tudo sobre ela (a mitologia, o simbolismo, as suas características, etc.). Ao longo dos meses irá começar a "incorporar" características dessa divindade em si mesmo(a) o seu carácter sofrerá mutações alquímicas internas.

A energia e frequência dessa divindade começa a sintonizar-se cada vez mais consigo, pode ocorrer certamente, que comece a canalizar mensagens dessa divindade. Jane Roberts canalizou o Material de Seth, Carla Rueckert canalizou Ra (*RA Material*), por exemplo.

Quanto mais se conectar com a divindade (através do altar, devoção, orações, utilizar um anel ou amuleto com símbolos desse Neteru) mais se sintoniza com essa egrégora. Pode criar o seu próprio método.

Um método simples consiste em ficar frente ao altar, olhando a estatueta (imagem) dessa divindade, acenda vela das cores correspondentes e incenso correspondente à deidade.

Feche os olhos, visualize essa divindade surgir diante de si, evoque o seu nome várias vezes.
Com a prática constante, a ligação será mais forte.

Nalgumas ordens esotéricas, os adeptos vestem-se como a divindade que absorvem e usam a máscara dessa deidade no rosto.

Exemplo de meditação na postura de Baphomet

Ponha uma música de fundo instrumental e gótica, existem temas específicos para rituais.

Assuma a posição de Baphomet, o braço direito erguido para o céu e nele tenha escrito a marcador a palavra "Solve", no braço esquerdo escreva "Coagula" e este deve apontar para o chão.

O conceito de Solve et Coagula já era utilizado na alquimia (dissolução e coagulação) tem vários significados, mas imagine ser a sua alquimia interior, e que através do braço direito erguido capta a energia do cosmos e que, ela flui através de si, descendo pelo braço esquerdo.

Dois dedos apontam para o céu (mão direita) e os dois dedos da mão esquerda apontam ao chão, significa que "O que está em cima também está abaixo", você é uma representação do universo (um microcosmo).

Feche os olhos, medite e assimile a imagem de Baphomet, imagine-se sendo ele...

Agora junte as duas mãos (e consecutivamente os braços juntos) *Solve et Coagula*.

Imagine a energia serpente (*kundalini*) ascender pelos chacras, ao longo da coluna, até à sua cabeça.

Visualize a chama sobre a sua cabeça (chacra da coroa).
A iluminação começou.

Agora visualize na sua testa (chacra *Ajna*) uma estrela brilhante, a terceira visão desperta.

Durante o exercício mantenha olhos cerrados e respiração profunda.

Pode adaptar ao seu gosto.

Medite assim por mais alguns minutos, visualizando-se como Baphomet, incorporando a sua sabedoria, a concentração é o fundamental para movimentar as energias.

Magia cerimonial em Grupo

Se quiser, em vez de praticar magia solitária, pode formar um culto (*coven*, clã) entre amigos.

Reúna 7 ou 9 membros (homens e mulheres, como desejar).

Devem ter um local (pequeno templo ou sala) onde se reúnem e têm o Altar Luciferino.

Usem um robe negro, roxo escuro ou branco, depende do estado de espírito e do conceito que preferirem.

Cor negra ou roxa escura transmite o simbolismo da noite (o *Noctifer*), do oculto, do ocultismo, das trevas, impõe respeito, impulsiona a introspeção, etc.

A cor branca simboliza luz, força, conhecimento, pureza espiritual. Relembro que Lúcifer não é o "demónio" deturpado em grimórios da Goética judaica, repletos de desvirtualidades.

Lúcifer verdadeiro é uma entidade espiritual muito evoluída e poderosa, portadora da luz e conhecimento.

No vosso altar devem ter os utensílios básicos da magia cerimonial e sobejamente conhecidos: Athame, cálice, sino de metal, incensário, castiçais, o sigilo de Lúcifer, e outros.

Magia em grupo, principalmente quanto todos os membros são amigos, praticam magia há muito tempo e já estão em ressonância, cria uma psicoesfera mais forte no local.

A energia de todos, em coerência, cria um resultado mais forte.

Ritual Gnóstico Luciferiano

Pelo menos duas vezes por mês, a cada 14 dias, de preferência aos Sábados, reúnam-se às 23:00.

A fase da lua pode ser qualquer uma.

Tenham pouca iluminação no templo, pode ser apenas a luz fosca das velas.

Podem colocar música ambiente para de uma atmosfera mais mística, existe na internet música instrumental para rituais.

Usem a vosso gosto.

O sigilo de Lúcifer deve estar visível no altar, pode ser em madeira, num quadro, ou tapeçaria na parede.

A **Este** (do altar) coloquem incenso de sândalo, ou cipreste.

A **Sul** acenda uma vela grossa, preta.

A **Oeste** um cálice com um bom vinho tinto, de qualidade.

A **Norte**, um sino pequeno de metal. Perto do sino (a Norte) uma vela verde acesa.

No centro do altar, próximo a sul, o punhal *athame*.

Cada participante deverá estar de robe cerimonial, e segurar uma vela negra na mão direita.

Irão acender a vela na chama da vela que já está acesa no altar. "Transportando" assim a chama dessa vela para a vossa.

Depois reúnem-se formando um círculo.

Invocatio:

O sacerdote (que dirige o ritual).

Volta-se para Oeste e toca o sino três vezes.

Então o sacerdote pega no punhal Athame, ergue-o em direção ao altar e diz:

"Ó grandioso Lúcifer, estrela da manhã.
Lucifer in Excelsis.
Glorioso Sejas.
Trabalhamos nas sombras para fazer a luz."

Agora todos repetem em uníssono:

"Lúcifer in Excelsis.".

Todos levantam as suas velas, e dizem:

"Somos portadores da chama do conhecimento".

A sacerdotisa ou uma oficiante, começa, em sentido anti-horário a apagar as velas uma por uma, com um sopro.

E sopra também a vela negra do altar (só fica acesa a verde).
Então quase nas escuras, o sacerdote toca o sino 3 vezes.

E diz:

"Lúcifer, venha iluminar este mundo de escuridão e sofrimento."
Venha reconquistar o nosso paraíso esquecido, de prazer e conhecimento".

O sacerdote pega então a única vela acesa no altar (a verde), e segura-a na mão, voltado para Este.

" Filhos da estrela da alvorada!.
Iluminamos o que será consagrado.
E o que estava oculto é revelado."

Agora cada um dos membros, um a um, vai acender a sua vela preta na chama dessa vela verde (do sacerdote), indo buscar "iluminação" a essa vela, que simboliza o fogo de Lúcifer.

O sacerdote diz, e todos repetem:

"Nós vimos a face de Lúcifer, e os seus mistérios revelados.
Libertámo-nos das trevas, e estamos iluminados".

O Sacerdote diz:

"Lucifer in Excelsis!"
"Ego sum Invictus."

E todos olham para o sigilo de Lúcifer e repetem as mesmas frases.

Se unir as duas frases, a primeira é uma exaltação/ louvor a Lúcifer. E a frase final significa que você se sente poderoso e inconquistável, cultuando a Lúcifer, ou sob a proteção Luciferina.

A sacerdotisa (que é o elemento feminino) pega no cálice (que simboliza também o elemento feminino).

Voltando-se para Este diz:

"Ó filhos da estrela matutina!
Colhemos os frutos da vitória arcana.
Bebamos o sangue da vida,
celebrando a nossa origem Luciferiana".

O sacerdote bebe um gole e diz:

"Lúcifer in Excelsis."

A sacerdotisa faz o mesmo.

Cada membro irá, um a um, beber um gole do cálice e repete o mesmo:

"Lúcifer in Excelsis."

O sacerdote, para finalizar o rito. Toca o sino 3 vezes.

Apaga-se a vela verde, o cálice é colocado de novo no altar.

Cada membro sai, um a um, da sala (ou templo).

Ficando apenas o Sacerdote e a sacerdotisa (são os últimos a sair).

O conceito dos quatro espíritos guardiões (de cada ponto cardeal) utilizado na bruxaria, nem sempre significa espíritos ou entidades que guardam uma região na Terra.

Os persas associavam os espíritos guardiões às estrelas no céu, esses "senhores" guardavam um ponto cardeal no céu.

A estrela Aldebaran, quando marcava o equinócio de Primavera, tinha a posição de Guardião do Leste; a estrela Regulus, marcando o solstício de verão, era o Guardião do Sul; a estrela Antares, marcando o equinócio de outono, era o Guardião do Oeste; a estrela Fomalhaut, sinalizando o solstício de inverno, era o Guardião do Norte.

Black Flame

Chama negra (black flame) é uma expressão muito utilizada em livros de caminho da mão esquerda (LHP: Left Hand Path).

A expressão faz lembrar as trevas, a chama negra simboliza diversas coisas: abraçar o seu eu sombrio, a chama da consciência desperta do mago, conhecimento do bem e do mal (a herança que Lúcifer nos trouxe).

Para os Luciferianos pode simbolizar a chama interior, para os Setianos (seguidores de Set) simboliza o inteleto, a consciência.

Chama negra é a transmutação do ego, do anti-eu. É a pedra filosofal dos alquimistas, a transformação em ouro interior. Ao contrário do que professa o budismo, não acredito na aniquilação do ego, mas sim na sua transmutação.

Eu posso ir mais além e acrescentar que a chama "negra" é energia escura do universo (73% do universo) que, na verdade não é negra, mas sim "invisível" a nós por estar noutro espectro de luz (à semelhança do infravermelho).

O mago aprende a invocar e manipular essa energia escura (invisível).

"Trevas" é um conceito. A vida é criada no ambiente escuro do útero.
O universo é 73% energia escura e 23% matéria escura (apenas 4% visível).
As estrelas são formadas na escuridão.
A realidade emerge do vácuo quântico (não visível).
A natureza alquímica da luz é o éter (não visível).
A escuridão e a matéria-escura no universo é, na verdade, luz inversa (fotões escuros).

Todas estas coisas são fragmentos da realidade, demasiado grandes para o olho humano.

Um pouco de ciência:

Provavelmente a luz, no Universo, emerge das trevas (fotões escuros são parceiros dos fotões comuns). A ciência recentemente descobriu que fotões escuros podem converter-se em fotões comuns. Astrofísicos teorizam que existem forças ocultas que interagem com a matéria escura, ou, por outro lado: que fotões escuros intermedeiam a interação entre matéria escura e a matéria comum sendo a "quinta força".

Outros experts teorizam que fotões e anti-fotões são na verdade as mesmas partículas, pois segundo a física algumas partículas podem ser a sua própria antipartícula (alternando de um estado para o outro, ininterruptamente).

Contudo, a sua carga elétrica deve ser neutra. Note que fotões (partículas de luz) não possuem carga nem massa (pois viajam à velocidade da luz).

Na física, uma partícula virtual é uma flutuação quântica transiente que se "assemelha" a uma partícula, mas não o é, só podem ser medidas nas interações entre partículas e existem numa dimensão-extra (um *continuum*). As partículas reais de certo modo são excitações dos campos quânticos de fundo.

Matéria escura na verdade, emite luz, mas num espectro não visível para nós, são os fotões escuros (ou ocultos). Pesquise na *wikipédia* e em sites de física por: *dark photons and dark matter.*

Os fotões escuros intermedeiam a interação entre matéria comum no Universo e a matéria escura.

Fotões escuros foram propostos em 2008 por Lotty Ackerman, Matthew R. Buckley, Sean M. Carroll e Marc Kamionkowski como portadores de força de um novo campo de calibre U de longo alcance, "eletromagnetismo escuro" agindo sobre a matéria escura. Como o fotão comum, os fotões escuros não teriam massa.

O fotão escuro em vez de interagir com a carga eletromagnética como fazem fotões comuns, acopla-se à energia escura que pode ser transportada por outras sub partículas que a Física ainda desconhece (teoriza-se que sejam axiões-escuros).

A luz só é definível através da experiência de trevas.

A escuridão é apenas uma ilusão e escassez de luz.
Dentro de um campo de polaridade a luz não pode ser percebida sem o contraste da escuridão. Então, quando começa a abraçar a beleza da escuridão, pode realmente ver formas superiores de luz, fica mais fácil expressar o seu eu-infinito nesta realidade finita.

Um link de informação útil: https://tinyurl.com/332hst6m

Os físicos teóricos *Zurab Berezhiani* e *Fabrizio Nesti*, da Universidade da Áquila, na Itália, em meados de 2012, reveram os dados experimentais obtidos pelo grupo de pesquisa de *Anatoly Serebrov* no *Institut Laue-Langevin*, na França, que mostrou que a taxa de perda de neutrões livres muito lentos dependia da direção e força do campo magnético aplicado. Teorizaram que a matéria escura no Universo pode ser matéria espelho. Este tipo de campo poderia ser criado por partículas espelhadas flutuando na galáxia como matéria escura, de acordo com o artigo publicado no Jornal Europeu de Física (EPJ).

Hipoteticamente, a Terra poderia capturar a matéria-espelho através de interações fracas entre as partículas comuns e as dos mundos paralelos.

Fontes:
Big Think: https://tinyurl.com/y4b9w94k
e NBC News: https://tinyurl.com/y64mu9f3

Are Dark Photons the Secret 'Fifth Force' Holding Our Universe Together?

By Paul Sutter August 30, 2019

Wherever they are, they sure are good at hiding.

Em breve a física quântica vai provar que existe um mundo invisível, forças ocultas e energias sencientes.

Sigilo de Lúcifer

Este é o sigilo de Lúcifer, para ter uma noção. Pode imprimir ou pode comprar tapeçaria para colocar na parede do seu altar.

Pode ainda comprar um prato de madeira, com o símbolo, para usar no altar e colocar ervas sobre ele, ou o *athame*, ou uma peça ritual. Se não encontrar online faça você mesmo.

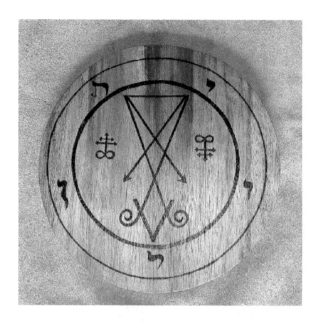

Pode seguir algumas regras comuns e traçar o círculo de proteção no chão (com sal). Eu acredito que o círculo sirva para "manter distantes" algumas entidades curiosas para estas não se aproximarem. Não vejo o círculo como "barreira protetora" da entidade que esteja a Invocar (neste caso Lúcifer). Pois, se invoca esta entidade é porque confia, certo?

Não seria um círculo consagrado que iria contê-la. Deseja proteger-se ou receia uma divindade que quer invocar?
É contraditório. Quando invocar uma entidade nunca tenha incerteza ou receio, a vibração do medo contagia.

Simbologia do Sigilo de Lúcifer

O sigilo foi conhecido pela primeira vez em 1517 (século 16) através do *Grimorium Verum*. A imagem original é maior e contém mais símbolos, o que mostrei inicialmente é apenas uma parte dele.

1º Símbolo: Coroa do Espírito:

Composto de 19 caracteres mágickos desconhecidos, envolvendo mais quatro sigilos. Akhtya Dahaka relacionou-o aos 23 caminhos Qliphóticos e consequentemente à jornada que conduz a Daath, a Sabedoria.

Este sigilo é utilizado especialmente para dar ignição à 'Chama Negra Interna' dos adeptos, conduzindo os seus subconscientes à elevação espiritual, alquimia negra, trabalhos com máscaras deíficas e magia nephílica/angélica [sendo magia angélica no contexto aqui citado não o trabalho com arcontes demiúrgicos, mas com os aspectos da verdadeira luz].

2º Símbolo –Aspeto Vampírico:

É o símbolo mais difundido e acredita-se ter simbologia vampírica. Corresponde à vontade vampírica, magia theriónica, ao aspeto de predador interno. Utilizado em trabalhos de magia astral.

À primeira vista dizem que representa um cálice (criação) e em baixo o "X" que simboliza poder e o plano terrestre.
O símbolo foi criado através do uso de quadrado mágico 9x9 ou de ordem 9 (formado por nove linhas e nove colunas), que usualmente serviam para criar sigilos e símbolos variados. Consta que as linhas que formam o sigilo passam por vários números resultando no dígito 369.

Em numerologia dividimos em três partes (3+6+9 que dá: 18, ou seja 1+8= 9). Número simplificado é 9.

O "V" simboliza o sagrado feminino, a energia descendente do plano espiritual para o material e simboliza ainda "Vénus".

As linhas que formam o sigilo também lembram a palavra LVX (luz em latim).

Um pormenor curioso sobre Vénus é que este descreve um pentagrama perfeito através do plano eclíptico do céu a cada oito anos. Conjunções inferiores sucessivas repetem-se numa ressonância orbital muito próxima a 13:8 (a Terra orbita 8 vezes para cada 13 órbitas de Vénus) criando uma sequência de precessão pentagrâmica.

Outra semelhança (que pode ser uma alusão à visão interior, iluminação intelectual) é o sigilo de Lúcifer e os nervos óticos e a glândula pineal.

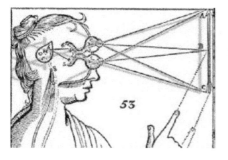

"Ilumina a tua mente, desperta o olho de Lúcifer e vê além das formas"

3º Símbolo: Os elementos.

Este é um sigilo pouco utilizado de forma aberta, mas um dos mais importantes, que deveria ser uma das primeiras partes a serem trabalhadas pelo adepto. Akhtya resignificou-o da seguinte forma: Acima, duas luas crescentes, representando o anjo do ar da noite, os aspetos femininos das consortes de Lúcifer Lilith-Nahema. O triângulo invertido, representando a descida da luz na matéria, a queda dos Nephilim.
Ao centro do triângulo, o aspeto do terceiro olho e da visão astral, sobrepondo os dois olhos do adepto (área inferior). O círculo ao centro, representando o 'Self'.

É utilizado em meditações para mediunidade e abertura do chacra *Ajna* (ligado ao Daeva Akoman na magia Yatukih), e também pendurado na parede do templo para ser observado em rituais ou meditações que façam o adepto perceber as energias que se manifestam através dos elementos que o

57

cercam, ou seja, o fogo primordial dentro do fogo, água primordial na água, e assim por diante; bem como as energias dos *Aeons* presentes na passagem das épocas do ano, datas festivas, e quaisquer eventos que o cerquem.

4º Símbolo, Plano Astral.

Este é ligado diretamente ao plano astral e ao aspeto do corpo de sombras do adepto. A mente interna que se projeta à noite, o D.G. [*Daemon* Guardião]. O olho interno ao traçado representando o despertar e o tentáculo próximo

a ele erguendo-se para afligir aqueles que ainda dormem. É utilizado em projeções astrais, através da meditação, *scrying*, usado como portal, etc.

Muito ligado aos aspetos sabáticos de Lúcifer, e aos animais que o representam. É através deste que as bruxas e feiticeiros voam sob o comando de *Lucifuge* para adentrar a noite e realizar os seus objetivos.

Quadrado mágico:

L	U	C	I	F	E	R
U	N	A	N	I	M	E
C	A	T	O	N	I	F
I	N	O	N	O	N	I
F	I	N	O	T	A	C
E	M	I	N	A	N	U
R	E	F	I	C	U	L

Os símbolos funcionam aproximadamente como um código QR, quando aponta o seu smartphone a um *QR Code* ele lê o código e abre a página web correspondente com informações do símbolo. Quando medita sobre um símbolo esotérico e o retém no seu subconsciente ele irá ativar e despertar informações ocultas, que mais tarde se revelarão em sonhos, ou intuições.

Medite alguns minutos sobre estes símbolos, antes de dormir, e eles irão falar consigo.

Nota:

Existem livros de supostos mestres iniciáticos, com rituais e invocações que são nada mais nada menos que: ritos de culto a Satã que foram alterados para o nome de Lúcifer. Alguns ainda pensam tratar-se da mesma entidade, infelizmente.

Utilizar pentagramas invertidos, símbolos de chifres ou referirem-se à entidade como Dragão, é algo que simboliza Satã, não a Lúcifer. Outros também confundem Satã com Baphomet, o que é errado.
O "Bode de mendes" ou Baphomet é um arquétipo simbólico criado por Eliphas Levi, e esse arquétipo contém vários símbolos que representam mensagens (o nosso subconsciente interpreta linguagem simbólica) e é ainda uma alusão ao hipocampo no nosso cérebro. Essa figura andrógina foi

59

inspirada no deus Pã e em Seth (deus do mal), porém a figura assemelha-se ao deus Khnum com cabeça de carneiro.

Na gnose esotérica dizem que Bapho+Methis significa batismo de sabedoria (relembro a alegoria do hipocampo) e como tem uma chama no topo da cabeça (entre os chifres) simboliza iniciação esotérica/iluminação.

Não caia ainda, no erro de invocar e tentar dominar Lúcifer, como livros de Goétia e de S. Cipriano idiotas fazem crer, isso é um desrespeito pela entidade espiritual e é pura ilusão pensar que: um mero humano, pode subjugar e dominar uma entidade espiritual elevada.

Alguns desses formulários antigos eram escritos por jesuítas que queriam enganar os tolos praticantes inexperientes, ou bruxos que escreviam com a mesma finalidade: enganar os incautos.

Tenha cuidado, pense, seja prudente.

Não leve tudo à letra.

Estes comentários entre linhas, podem parecer longos, mas quero esclarecer o leitor e desejo a sua segurança.

Pecado é restrição, iniciação é expansão.

Dimensões Obscuras e sistemas Mágicos - Asamod © 2021

Dragão, via draconiana

Quando alguns autores se referem a Lúcifer como o Dragão, ou o caminho de iniciação como magia draconiana, etc. Tudo isso é simbólico. Por mais conversa fiada, mil e um argumentos, é apenas para confundir ainda mais o leitor. Na verdade, tudo o que é alusivo ao dragão ou energia draconiana tem origens na lenda da deusa babilónica Tiamat, associada ao caos primordial e o mar salgado, acredita-se que essa deusa deu origem ao universo e aos deuses.
Se era por vezes simbolizada como dragão, isso é simbólico.

Em grego δέρκομαι (*dérkomai*, *Drakon*) significa: ver, aquele que olha fixamente. O dragão é o *self* interior, a visão de quem despertou.
É a energia serpente (*kundalini*) que ascendeu.

Lúcifer Fala:

"O Conhecedor sabe que a aprendizagem dos povos, contém algo do meu mar de conhecimento. A árvore de lótus no sétimo céu é o lugar da minha revelação, por que eu sou o todo-ouvinte, o omnisciente.

Gloriosa é a minha santidade e elevado é o meu nome.

Constelações prostraram-se para mim até que eu estivesse elevado.

Como a prostração de servos ao servido.

E todos aqueles no universo disseram-me:
Oh Deus, leva-nos ao caminho reto!

A minha honra preside tudo e por isso sou o único,
o mais forte e o mais perfeito.

Eu sou o excelente e mais alto.
Ó meus fiéis creiam em mim, não me ignorem, pois descrença é a característica dos egoístas.

Eu dou aos infiéis um fogo sempre perto para beber e brisas para aos que creem em mim, louvores a mim, glorificada é a minha habilidade.

Elevada é a minha sublimidade, aqui estou eu, o Príncipe da Terra.

Eu criei os homens do tempo, as sete Terras e os sete céus.

Estes são os meus sóis que brilham nos mundos,
orientam o perplexo e os meus segredos estão escondidos.

Eu sou aquele que cria no ventre como eu gosto,
fiz as pessoas, os milagres aparecem em minhas criações.

Eu sou o Ser de todos os seres.

Sou aquele que preenche todos os mundos com as minhas criações.

Todos os céus são minhas invenções.

Eu sou o único cujo segredo é venerado.

Para mim são as graças, louvores a mim, venerado é o meu ser.

O universo é iluminado por alguns dos meus presentes.
Eu sou o Rei que se engrandece a si mesmo, e todas as riquezas da criação estão ao meu inteiro dispor.

Tornei conhecidas entre vós, algumas das minhas formas."

Ritual de Prometeus

Como Prometeus é sincretizado a Lúcifer (roubou o fogo dos deuses e deu aos humanos), deixo aqui um ritual de Prometeu.

Segundo a lenda prometeu foi castigado e torturado, algum do seu sangue pingava no chão e ali nasceu uma mandrágora, a raiz de mandrágora é conhecida por ter propriedades mágicas.

Medeia recolheu a mandrágora que nasceu nesse solo, junto a Prometeu, para preparar uma poção mágica e dar ao seu amado Jasão, ela colheu na décima lua. Isso pode significar 10.º mês do ano, mas podemos interpretar como o 10.º dia de lua.

Escolha um mês e veja quando surge a lua no céu (após a lua nova), a partir daí conte dez dias.

No seu altar, tenha uma imagem de Prometeus (o termo correto é Prometeu, mas pode ser confundido com o verbo *prometer* no passado: Prometeu, prefiro colocar "S" no final).

A imagem pode ser um poster imprimido a cores.

Acenda uma vela (elemento fogo).

Incenso de Mirra, ópio ou Sândalo. Acenda incenso.

Pode colocar no altar oferendas a Prometeus, Medeia e Hécate, como maçãs, bolos de mel, um cálice com vinho.

Convide os deuses a unir-se ao ritual.

"Invoco os deuses helénicos,
os gloriosos, Imortais, ctónicos, oceânicos,

titânicos e olímpicos,
participem e testemunhem deste ritual.

Salve Héstia, guardiã do primeiro fogo, que ardia no altar dos deuses, aceite esta oferenda".

(pode encher um copo com vinho, ou cerveja).

Segure a vela acesa:

"Chamo Prometeus,
grande titã, criador e protetor do homem,
ardiloso, astuto, inteligente, portador do fogo,
salve benfeitor que sofreu por todos nós,
ouça a minha voz, atenda ao meu chamado.
Este ritual e oferenda é para Si,
Prometeus desamarrado,
para mostrar gratidão, por tudo o que encontrei."

Coloque a vela no altar. Agora peque um incenso aceso:

"Saudações à deusa Hécate,
deusa das bruxas e da magia,
saudações à sua sacerdotisa Medeia, a sua história tão trágica, que arrancou a erva cultivada no sangue do titã,
À bruxa e à deusa eu deixo estas oferendas.
Com estas simples palavras faço os meus louvores."

As oferendas deixe-as no altar por algumas horas.
As divindades absorverem a energia etérea apenas.

Ao fim da noite pode consumir/ reabsorver (seja as maçãs, o vinho, ou outro).

Se conseguir comprar numa loja esotérica, um pedaço seco da raiz de mandrágora, será ótimo. Use no altar durante o ritual e passe a usá-la numa bolsinha de veludo preto, como amuleto.

Magia Suméria

Invocação e dedicação a Enki

Como referi anteriormente, Enki é Lúcifer, então se preferir faça estes rituais da magia suméria.

Apresentar-se a Enki

Ritual

O ritual tem como objetivo apresentar-se a ENKI e sintonizar-se com a sua energia.

Pode colocar no altar, sobre um tecido escuro, uma imagem de Enki (imprima da internet) ou este seu símbolo em escrita cuneiforme.

Este ritual deve ser realizado à noite, entre as 21h e 03h (madrugada).
As energias são mais altas nesse horário, o véu magnético entre o plano espiritual e o físico fica mais subtil.

Prepare o altar. Um pedaço de pano preto ou uma mesa grande o suficiente para colocar velas, sigilos e incenso. Coloque o sigilo de Enki em cima do altar, prepare uma vela preta ou azul escura. Acenda um incenso (pode ser sândalo).

Após concluir a preparação do altar, pegue um pedaço de papel e escreva o seguinte versículo:

"Diante de Enki e de todos os Anciões, eu (nome completo) pronto para aceitar a sabedoria de Duat. Aceite-me como seu aluno assim como o aceitei como o meu professor.
Prometo fazer o melhor ao meu alcance para seguir os ensinamentos dos Anciões."

Agora, sente-se na frente do altar, acenda a vela e entre em estado meditativo. Concentre-se no sigilo de Enki, visualize-o por 5 a 10 minutos.

Agora, reescreva o versículo que escreveu antes e leia em voz alta. Queime o papel na chama da vela e complete o seu ritual agradecendo a Enki pelo seu tempo.

Nota:

Alguns websites associam erradamente sigilos de demónios aos Anunnaki, o que é errado, pois, tais sigilos são criados pela Goétia, um estilo de magia negra de origens abrâmicas citado nas Clavículas de Salomão (rei Salomão).

Dedicação a Enki:

Itens:

Pelo menos uma vela preta, ou azul escura (quantas optar de qualquer uma delas sozinha ou uma combinação). Uma agulha esterilizada (algo para tirar o sangue do seu dedo indicador esquerdo), um pedaço de papel sem linhas (ou pergaminho, melhor será) grande o suficiente para escrever a oração que se segue abaixo, (e para assinar o seu nome)

Escreva a seguinte oração no papel:

"Diante do deus todo-poderoso e inefável Enki, e na presença de todos os deuses e deusas de Duat, que são os verdadeiros e originais deuses da terra e da humanidade, eu [nome completo] escolho, por minha própria vontade, entrego a minha fé e crença plena aos deuses antigos.

70

Agora proclamo Enki como meu verdadeiro deus, os deuses e deusas originais como os meus aliados e mentores.

Prometo honrá-los sem reservas e comprometo-me a fazer a vontade dos deuses, pedindo apenas para estar ao seu lado durante a minha evolução espiritual e além. "

O ritual:

Encontre um lugar para fazer isso, pode ser qualquer lugar, desde o seu quarto até alguma floresta que sinta perfeita.

Certifique-se de que se banhou com antecedência (purificação), e de usar roupas escuras. Defina as velas e quaisquer outros itens que tenciona usar, sigilos, incenso, ofertas, qualquer toque pessoal.

Pique o dedo indicador esquerdo e assine, isso pode ser feito com um ponto ou colocar a impressão digital no papel (pergaminho). Leia a oração em voz alta ou na sua cabeça e então assine, leia para os deuses com orgulho.

Dobre o papel e coloque-o aceso na chama da vela, certificando-se de que todo o pedaço de papel queime completamente. Agora, pode ficar até as velas se extinguirem, mas após ter terminado, lembre-se de encerrar com um forte:

"Salve Enki!"

Lembre-se de que este é um grande passo a tomar, não se apresse na decisão.

Meditação com a estrela de Ishtar (Vénus)

Lilith como ficou conhecida na bíblia, sendo um nome hebraico, é o nome da deusa Lilitu Suméria.

Através do sincretismo de várias religiões e povos uma divindade vai adquirindo vários nomes, sendo conhecida por vários nomes.

Alguns dizem que Lilitu era Astarte e também Inanna, porém isso é impreciso, Inanna era uma deusa diferente.

Na mesopotâmia Inanna era deusa do erotismo, amor e fertilidade, outro dos seus nomes era Ishtar (daí associarem a Astarte, deusa fenícia inspirada na sua simbologia) era conhecida como rainha dos céus e associada a Vénus (tal como Lúcifer). Vénus na babilónia era Ninsi'anna, mais tarde foi chamado Dilbat. Ninsi'anna significa "senhora divina" ou "iluminadora do céu".

Mas Inanna não é Lilitu/lilith, mas sim a sua irmã. Havia duas deusas diferentes e eram irmãs.

Inanna era irmã de Lilitu (nome real Ereshkigal) a Ereshkigal é que era sim Lilitu, filha de Anu e irmã de Enki.

Ereshkigal significa senhora dos vastos caminhos ou senhora grande, senhora do Cur-Nu-Gia (terra do não retorno) inframundo, os gregos chamaram-lhe Perséfone.

Resumindo para simplificar:

Inanna é Ishtar dos assírios (associada com Astarte, Ashtoreth dos fenícios). Tem sincretismo com a deusa egípcia Anate. Sincretismo com a deusa Ísis também. Os gregos chamavam-na Afrodite.

Ereshkigal é a sua irmã e é Lilitu (outros nomes seus Irkalla e Allatu). Os gregos chamavam-na Perséfone.

Inanna: Deusa do céu e da terra.

Ereshkigal; Deusa do submundo e da guerra, portanto biblicamente foi sincretizada como Lilith.

Agora faça uma meditação sobre a estrela de oito pontas, da Ishtar (Inanna) que representa o planeta Vénus (não confunda com o símbolo solar de Shamash).

O Raio Cósmico 1° aponta para o Nordeste e corresponde ao planeta Marte e à cor vermelha. Representa força de vontade e força. Marte, como o planeta vermelho, simboliza paixão ardente, energia e perseverança.

O 2° Raio Cósmico corresponde ao Este, ao planeta Vénus e à cor laranja. Representa potência criativa.

O 3° Raio Cósmico aponta para o Sudeste e refere-se ao planeta Mercúrio e à cor amarela. Representa o despertar, o inteleto ou à mente superior.

O 4° Raio Cósmico refere-se ao Sul, Júpiter e à cor verde. Simboliza harmonia e equilíbrio interno.

O 5º Raio Cósmico aponta para o Sudoeste e corresponde ao planeta Saturno, sendo a cor azul. Simboliza conhecimento interior, sabedoria e inteligência.

O 6º Raio Cósmico corresponde ao Oeste, ao Sol e também a Urano, e à cor índigo. Simboliza perceção e intuição através de grande devoção.

O 7º Raio Cósmico aponta para o Noroeste e refere-se à lua, bem como ao planeta Netuno, e à cor violeta. Representa a profunda conexão espiritual com o eu interior, grande perceção psíquica e despertar.

Além disso, acredita-se que as oito pontas da estrela de Ishtar representam os oito portões que cercam a cidade de Babilónia, a capital da antiga Babilónia. O Portão de Ishtar é o portão principal desses oito e uma entrada para a cidade.

O Raio Cósmico 8º aponta para o Norte e representa o planeta Terra e as cores branco e arco-íris. Simboliza feminilidade, criatividade, nutrição e fertilidade. As cores são vistas como símbolos de pureza, bem como de unidade e conexão entre o corpo e o espírito, a Terra e o universo.

Acenda uma vela azul escura, medite sobre o símbolo da estrela de Ishtar. Faça a invocação.

"ISHTAR, Espírito de Vénus, lembre-se!
Dos prazeres da Carne.
ISHTAR, Senhora dos Deuses, lembre-se!
Dos prazeres da alma.

ISHTAR, Rainha da Terra do nascer do Sol, recorde-se!
Que Você exige o mais alto dos preços
mas, de boa vontade, pagarei o Seu preço.

Até mesmo por pagar os preços mais altos
estarei a pagar um preço tão pequeno.
Pois, não há amor como o Seu!

ISHTAR, Senhora das Damas, Deusa das Deusas
Rainha de todas as pessoas, lembre-se!
Que eu sei, que nenhum preço é muito alto para ter a Si
Que sei, que nenhum preço é muito alto para pertencer a Si.

Ó Ascendente brilhante, Tocha do Céu e da Terra, Recorde-se!
Eu não desejo o Seu corpo,
não desejo a Sua alma
Eu desejo ambos,
Para ambos eu Lhe ofereço.

Ó Destruidora das hordas hostis, lembre-se!
Receba-me; e não necessitará de mais ninguém.
Nenhum deus. Sem demónio ou anjo.

ISHTAR,
Rainha da Batalha,
Ouça e lembre-se!
Abençoado pelo Seu Amor.
Não vou deixar ninguém A magoar.
Eu vou Protegê-la e servi-la sempre.

ISHTAR, Rainha da Noite,
Abra o seu Portal para mim!
O portão para a Sua alma
ISHTAR, Senhora da Batalha,

Abra o seu Portal!
O Portal do Seu Corpo
ISHTAR, Espada do Povo,
Abra o Seu portal para mim!
O Portal do Seu Coração

ISHTAR, Rainha da Noite,
Abra o seu portal para mim!"

Batismo de Sabedoria

invocação à sabedoria de Lumiel

Pelo olho que tudo vê da mente perfeita,
que a luz indomável do Senhor Lumiel
caia do Céu, dispersando a nossa escuridão,
e liberte todas as coisas da ilusão material,

Pelo Tau carmesim e a serpente Flamejante,
que a gnose brilhante do Senhor Lumiel dissolva as nuvens obscuras
de ignorância,

Aquele que encobre o firmamento claro da mente,
consagrando-nos na perfeição primitiva,
por meio do bode Celestial do monte Santo,
minha brilhante alma do Senhor Lumiel,

Conceda-nos o batismo de Sabedoria,
que puros no coração nós sejamos merecedores,
para trilhar o caminho da Estrela da Manhã,

Pela coroa esmeralda de Éons infinitos,
que o grande sacrifício do Senhor Lumiel
redima aqueles de nós que estão a cair em esquecimento, envolvidos
no lodo do incerto;

Inspire-nos a atingir os Mistérios imortais,
além do Tabernáculo Secreto do Sol,
além do círculo vivo das estrelas!

Dimensões Obscuras e sistemas Mágicos - Asamod © 2021

Criar entidades astrais

Existem diferentes nomenclaturas, alguns chamam-nas de egrégoras, elementais artificiais, *servitors*, existem conceitos diferentes de entidades que se assemelham. No budismo tibetano são *tulpas*. Alguns autores dizem que um *servitor* é uma entidade mais "limitada" e sem consciência agregada.

Entidades astrais podem ser criadas pelo inconsciente coletivo (energia da mente de todas as pessoas, pensamentos da realidade coletiva consensual, psicoesfera).

Ao atribuirmos a uma entidade certos padrões de energia, humanos, emoções, etc., estamos a separá-la do inconsciente coletivo, criando uma nova entidade (a qual fica alojada num "corpo astral").

Carl Jung fazia referência a um inconsciente coletivo.

Alguns autores e auto intitulados magos do caos misturam e confundem tudo, fazem distinção entre egrégoras, servidores astrais, *tulpas*, deuses, etc. Isso é pura idiotice. Não são categorias diferentes de entidades, são nomes diferentes para um mesmo conceito.

Tulpas são pensamentos-forma no budismo tibetano, é um termo hindu para egrégoras. Egrégoras são pensamentos-forma gerados coletivamente e que adquirem consciência própria. Deuses (alguns são mitos, egrégoras alimentadas pelo consciente coletivo, porém outras são entidades reais com vida própria, alguns eram seres extraterrestres como os Anunnakis na Suméria). Elementais artificiais ou *servitors* (servidores astrais, *constructs* astrais) são semelhantes, bruxos dizem que um servidor não possui "consciência". Na verdade, se você não o reabsorver ou desmaterializar ele segue a sua existência e pode adquirir protoconsciência sim.

O nosso planeta tem forças magnéticas, ondas telúricas como demonstrou o prof. Hartman, polo magnético negativo e polo positivo, e os nosso psiquismo coletivo interage psicocinéticamente com o magnetismo Terrestre.

O tipo de energia coletiva que age de forma inteligente, pode também designar-se por: Egrégora..

Egrégora (do latim egrégorien = vigília) atua como um aglomerado de energia que toma consciência, é a força gerada pelo somatório de energias físicas, emocionais e mentais de grupos de pessoas.

Nalgumas sessões espíritas, o grupo de pessoas pode gerar uma entidade psicomental, o pensamento-forma coletivo agrega energia, a qual pode ser dirigida pelo pensamento coletivo (pensamento= manas).

Existem várias categorias de egrégoras, boas ou más, um grupo de terroristas geraria ondas de pensamento negativas, "aglomerados" de energia negativa começam a vagar no plano astral que nos rodeia, um grupo de espiritualistas em meditação orando pela paz no mundo geraria egrégoras positivas.

Estamos sob um oceano de energia mental, cada um de nós atrai o tipo de energia em afinidade com o nosso padrão-de pensamento, egrégoras são "filhos coletivos" que se retroalimentam das mesmas emoções que as geraram...

Passos:

Comece por imaginar a entidade, um corpo, pode ser um "guardião" que lhe dê proteção, pode ser um(a) amante astral, pode ser um espião astral a seu serviço, entidade astral que lhe ajude num feitiço, etc.

Pode enviar energia do seu pensamento, diariamente, pode recorrer a suporte físico (feitiço, velas, incensos) enviando energia de vários modos. Pode energizar a entidade com a energia subtil de elementos (o seu sangue numa tigela, fluído sexual, energia de rituais, velas, etc.).

Alguns grupos esotéricos, unem a energia de grupo para mais facilmente criarem entidades...

Entidades já existentes, por exemplo: (asamod, belfegor, baphometh, chorozon, e outros) podem de facto existir, se foram criados pelo inconsciente coletivo de milhões de pessoas, ao longo dos séculos, e cultuados por milhares de pessoas, que em rituais mágicos as cultuavam e lhes conferiam energia...

Fazer meditação e exercício físico é bastante útil.

Meditação permite que controle mais facilmente as emoções e a sua energia, que se sintonize mais facilmente com entidades astrais, que sinta mais facilmente as energias (desenvolver os sentidos extrassensoriais), etc.

É útil também ter boa alimentação, equilibrada, uma dieta saudável.

Pode ir a locais buscar energia extra, como: praias, bosques.

Durma as horas suficientes, se você dormir poucas horas o seu corpo nunca funcionará a 100%, e a energia também não...

Nunca crie entidades para as subjugar, nunca as menospreze nem tente escravizar.

Respeite-as...

Para mais facilmente idealizar uma entidade, faça um desenho da entidade que ambiciona criar, porque se apenas se limitar a criar uma imagem mental ela pode alterar-se com o passar dos dias, ou desvanecer da sua mente.

Se fizer um desenho, ele permanece inalterado, poderá observar o desenho todos os dias, e voltar a memorizar a imagem, depois usando-a em visualizações mentais...Energizando-a.

Há quem utilize a energia sexual (do orgasmo) que é muito intensa, e a envie para a entidade que está a criar (designa-se: magia sexual).

Faça a visualização, mentalização, apenas se estiver emocionalmente bem.

Nomeando-a:

Dê um nome para a sua entidade...

Aconselho a escolher um nome que soe bem para os seus ouvidos, que tenha uma boa vibração quando você o pronuncia (irá encontrar um nome que ao pronunciar lhe transmita mais energia que outros...

Não convém escolher nomes mágicos que já existam, pode, por exemplo pegar em nomes e invertê-los. Exemplos: "Mago" (Ogam), avassalador (Rodalassava).

Imagine a sua entidade, o seu aspeto visual, o seu nome, o objetivo dela (se é entidade para proteção, se é amante astral, se é entidade para fornecer informações, etc.)

Poderá escolher objetos (anel, talismãs) para receberem energia da entidade, por exemplo, eles seriam "recetáculos" para a energia da entidade.

Escolha objetos em metal, que melhor canalizam energia, por exemplo, prata, ouro, estanho, bronze.

Pode desenhar um símbolo para a sua entidade, utilize os símbolos que quiser, criados pelo seu subconsciente, mas que estejam relacionados com o objetivo da entidade, ou símbolos alquímicos, esotéricos, ou mistura de vários símbolos, etc.

Dê asas à imaginação...

Pode também escolher uma palavra-chave para a entidade vir ao seu auxílio sempre que necessite.

Por exemplo "agora".

Alimentação:

Terá que alimentar a sua entidade diariamente, para ela não esgotar a energia que tem.

Para que também não esgote a sua energia, não necessita de doar a sua energia pessoal para a entidade...

Pode fazer-lhe oferendas (velas, incensos, bebidas, comidas, frutos), a entidade obviamente não irá comer os alimentos materiais, ela irá absorver a energia etérea...

Sempre que "cultuar" a sua entidade, com rituais e oferendas, lembre-se da correspondência de certos objetos com o tipo de vibração da sua entidade.

Por exemplo, se for uma entidade sexual, pode acender-lhe velas vermelhas, utilizar incensos que estimulem a sexualidade (exemplo: canela, que é afrodisíaca), utilizar ervas ou plantas associadas ao desejo, (exemplo : malagueta), incenso de canela, etc.

Se for uma entidade para o amor, pode utilizar velas rosa, essência (ou incenso) de rosas, cristal quartzo-rosa, etc.

Pode criar um sigilo para representar a entidade e coloca-lo no seu altar de magia. Imagine a energia a fluir para o símbolo e para a entidade (imagine-a em forma astral). Pode carregar no seu bolso esse sigilo, diariamente.

Procure em livros de magia, a correspondência entre certos objetos, cores, e as suas vibrações equivalentes.

Exemplos de oferendas a uma entidade:

Frutos:
São fontes de energias que têm várias aplicações no plano etérico. Cada fruta é uma condensação de energias que forma um composto energético que, se corretamente manipulado pelos espíritos, tornam-se plasmas astrais usados por eles até como reservas energéticas durante as suas missões.

Bebidas:
Os espíritos absorvem os vapores etílicos e a energia etérica contidas no líquido.

Pode também invocar a sua entidade em locais ricos em energia (praias, bosques, jardins) e ela absorve a energia do local...

Aproveite as condições meteorológicas, por exemplo, num dia de trovoada há muita energia magnética no ar, imagine alguma dessa energia sendo absorvida pela sua entidade.

Lembre-se:

As entidades, em princípio, não representam perigo, elas são parte de si, geradas pela sua energia, têm o mesmo tipo de vibração que a sua.

Nunca tenha receio delas, elas não o controlam, você é que tem poder sobre elas, criou-as, e sempre que desejar (ou se tornar oportuno) pode pela ordem

85

do seu pensamento, desprogramar as entidades (exemplo após um ou dois meses, ela deixa de existir). Pode ainda reabsorver para si a energia desta entidade.

"Um suspiro sensual varre as planícies frias,
Onde vivem famintas almas...
Respirando dentre os vivos o que exalam os fantasmas...
Semelhante a brumas sob a indiferente Lua.

São como um espelho... num quarto abandonado,
Que reflete em superfícies frias, vazias...
As cores quentes... das paixões ainda vivas...
Invertendo aos desejos... o uso a que foram consagrados um dia...

Um espelho d'água... num poço de sombras...
Refletindo das altas estrelas... as cores e os brilhos...
Na superfície mesma... dos seus abismos...
Pervertendo o celestial... na sublimação do infernal...

Semelhante às neblinas na noite fria... que aspiram, sem poder tocar... ao calor do dia...
Ela aguarda-o há muito tempo...
No vazio que tem de si... no vazio que você tem...

Sinta o arfar do seu desejo... Na extinção de todos os anseios...
Pois que retirou da vida toda a diversidade e ilusória dualidade,
Na unidade mesma da sua vampírica espiritualidade.

E assim num mistério sem igual... no cemitério filosofal,
O erotismo dos desdobrados e desencarnados fez-se imortal...
Retirando da pele fria dos ectoplasmas,
O fogo da paixão ainda viva dos fantasmas..."

Dimensões Obscuras e sistemas Mágicos - Asamod © 2021

A verdadeira Goétia

Notou que na Goétia (sistema mágico cabalístico de evocar e pactuar com demónios) são 72 demónios, e na magia Enochiana (de John Dee) existem mais de cem "anjos", sendo os principais 72, e existem ainda 72 anjos cabalísticos? O termo anjos deve ser substituído por génios.

Tratam-se das mesmas entidades, "anjos" não são os anjos da bíblia, mas provavelmente seres extraterrestres ou extradimensionais, os arcontes que a Gnose nos menciona. Alguns demónios da Goétia são deuses ctónicos (do submundo) de antigas religiões (babilónica, egípcia, romana, etc.), com nomes deturpados e imagem adulterada, ao longo dos séculos tornaram-se egrégoras apenas.

Egrégoras são constructs mentais, imagens plasmadas e alimentadas pelo inconsciente coletivo, ganham protoconsciência e energia tornando-se entidades "vivas" e autónomas, digamos.

Um mago realmente conhecedor e experiente, sabe ao que me refiro, compreende que evoca egrégoras ou energias cósmicas que servem um propósito.

Os restantes (os tolos e incultos) pensam que evocam demónios infernais e podem controlá-los, a esmagadora maioria de grimórios antigos (senão a totalidade) são repletos de distorções e ilusões.

Ignorantes, certamente, pensam ser correto matar gatos pretos ou cães pretos, sacrificar animais, julgam que estão "protegidos" ao traçar um círculo mágico no chão e que podem dominar o demónio (egrégora) que evocam. Que continuem assim autoiludidos, "Clavículas de Salomão", "Dragon Rouge", "Picatrix" e outros grimórios faziam sentido há séculos atrás no *mindset* da época.

Hoje vivemos tempos diferentes, tempos de esclarecimento, de iluminação.

Segundo Charles Barlet:

"A Magia é uma operação pela qual o homem procura, através do próprio jogo das forças naturais, reprimir as potências invisíveis de diversas ordens, de modo a que funcionem segundo o que lhes é requerido. Para tanto, ele capta-as, surpreende-as, por assim dizer, ao projetar forças das quais não é o senhor, por efeito das correspondências que presumem a unidade da Criação – mas para as quais pode abrir vias extraordinárias." [...]

Um pouco de História

O que é a Goétia?

A arte de negociar com *daemons* (espíritos), não uso o termo demónios. Alguns teóricos dizem que goétia significa uivar, pois, ao uivar comunicava-se com espíritos, ou os espíritos comunicavam através de uivos. Contudo, caro leitor, digo-lhe que a origem real deriva do grego γοητεία (goēteía) que significa feitiçaria, e γόητες (góētes) significa bruxos.

O rei Salomão teria se comunicado e "dominado" com 72 espíritos, ele escreveu cinco capítulos: Ars Goetia, Ars Goetia Theurgia, Ars Paulina, Ars Almadel e Ars Notoria, tudo compilado no Lemegeton

"Lemegeton Clavícula Salomonis" que ficou conhecido como a Chave menor de Salomão.

Quem for conhecedor do ocultismo sabe que a maioria desses nomes foram invenções, alguns são Anagramas com nomes de antigas divindades, outros são divindades egípcias e sumérias.

A maioria de listas de "demónios" (repare que em latim *daimon/ δαίμων*, significa espírito, mensageiro), foram copiados por Salomão dos grimórios antigos "Pseudomonarchia Daemonum de Johann Weyer", "Circa 1500" e "Steganographia" de Johann Heidenberg.

O "Pseudomonarchia Daemonum", por sua vez foi inspirado no "Liber Officiorum Spirituum".

Então, Salomão não "criou" propriamente a Goétia nem os espíritos goéticos, apenas publicou uma obra que atraiu mais popularidade ao tema.

Analisando alguns nomes:

Astaroth:

Leitores de grimórios poderão pensar que Astaroth é um demónio masculino e com aparência horrenda (como todos os demónios goéticos), mas enganam-se.

Astaroth é uma divindade feminina e é uma deturpação da deusa fenícia Astarte, que equivale à deusa Ishtar na babilónia (e mais tarde Inanna) e a Qetesh egípcia. Astarte (ou Astoreth) é a deusa da fertilidade, sexo e guerra. Era Ostara (deusa nórdica anglo-saxã da fertilidade), foneticamente Ostara e Astaroth até são semelhantes. Para os púnicos e fenícios a sua equivalente era a deusa Tanit. Os canaanitas tinham a deusa Ashera (Aserá). Astéria (Ἀστραῖα) significa estrelado ou dama das estrelas, e era a mãe de Hècate.

Nalguns cultos ufológicos pegaram nesse nome e criaram Ashtar (um extraterrestre loiro). É de péssimo gosto na Goétia pegarem em deuses antigos e deturparem o nome e a imagem para criar algo hórrido.

Qual a finalidade? Servir propósitos nefastos e satânicos, ao longo de séculos as pessoas ao invocar e cultuar essas egrégoras dão-lhes vida e força. Escribas da Inquisição também tiveram parte nisso.

Amon:

Outro demónio na Goétia é Amon, esse é fácil de adivinhar, copiaram literalmente o nome do deus egípcio Amon (Amun, Amen, "o oculto"). Na Grécia era adorado como Ammon e havia um templo de culto, acredita-se que tinha sincretismo com Zeus. Já reparou que no final das orações se diz Amen? O aspeto solar é Amun-Ra (que representa o sol quando se põe, e fica oculto durante a noite), Amun Ra pode ainda significar luz oculta.

Baal:

O demónio Baal é simplesmente uma divindade Canaanita da fertilidade e da guerra, os hebreus utilizaram o nome Baal, pois "Ba'al" significa senhor, rei, em referência ao senhor de Israel. Para os sírios trata-se de Baal-Hammon (deus das tempestades, orvalho, fertilidade) por vezes conhecido como "Saturno africano".

Na versão bíblica hebraica (Septuaginta) descreviam Baal como Héracles (filho de Zeus e irmão de Perseu). Os fenícios adoravam o Sol como um deus e chamavam-lhe Beelsamen. Baal nas línguas semitas escrevia-se Bel (senhor) e por vezes Marduk tinha esse título, considera-se que Marduk era a mesma entidade que Baal.

Baal também era adorado no Egito como deus da tempestade e curiosamente Baal Hadad (canaanite) é o deus das tempestades. Para os Hyksos Baal era um aspeto do deus Seth (Sutekh). Possivelmente Belzebut ou Baalzebub deriva de Baal, sendo um anagrama simplesmente, por exemplo, Baala-zevu significava Baal enaltecido. Outro anagrama derivado de Baal é Belial.

Outro anagrama é Belfegor, com origem num deus que os antigos israelitas adoravam antes do monoteísmo: Baal-Peor. Então repare muitos "demónios" são apenas anagramas do mesmo nome: Belial, Baalzebub, Belfegor são apenas o mesmo e único Baal. Em Moabe (que é hoje a Jordânia) havia o Monte Peor, Baal-Peor significa senhor do Monte Peor, é, portanto, Baal a divindade principal cultuada nessa região.
A cidade de Heliopólis (cidade do sol) era conhecida por Baalbek.

Alguns autoiludidos dizem que Baalzebub significa "senhor das moscas", mas é errado, Baal (senhor) e o sufixo Zebub foi adicionado em sinal de respeito, mas o monoteísmo judaico deturpou a imagem de antigos deuses. Curiosamente havia um deus canaanita das tempestades chamado Hadad e também conhecido por pidar ou Baal Zephon (Bal zephon é semelhante a Balzebub) o termo Ba'al é um prefixo para "senhor".

Os Canaanitas também adoravam Ba'al berith ou el Berith (senhor do pacto ou da aliança, mas significa pacto com Baal), porém a Goétia pegou no nome "Berith" e criou outro demónio fictício.

Asmodeus:

Asmodeus foi uma tradução e cópia de Aeshma-daeva (um demónio na mitologia persa no Zoroastrismo). Às vezes era descrito como Chashmodai, deu origem ao anagrama Asamod (que alguns pensam ser outro demónio, e significa destruidor).

Alguns rabinos dizem que Asmodeus era o filho do incesto de Tubal-Cain e a sua irmã Naamah. Aeshma-daeva, um demónio da mitologia persa no

Zoroastrismo, da fúria e luxúria, mas que por vezes era interpretado como "o anjo que brilha". Nem todos os daevas são negativos. Elemento: Água, cor: preto ou vermelho, planeta associado: Neptuno.

Lúcifer:

Lúcifer é das divindades mais deturpadas e mal compreendidas, é um antigo deus romano, *lux* (luz) e *ferre* (portador, portar), é um ser de luz, senhor do conhecimento, não é um demónio.

É a mesma entidade que Eósforo, Fósforo, Prometeus, Luzbel, Heylel.

Mefistófeles:

Personagem mitológico numa obra de ficção. Também conhecido pelo apelido Mefisto, o demónio Mefistófeles é um dos protagonistas da mitologia de Fausto.

Pazuzu:

Pazuzu é um demónio na mitologia suméria.

Volto a frisar que "demónio" significa apenas espírito, mensageiro, (*daimone*), em culturas antigas nem todos os demónios eram maus, eram neutros, tanto faziam o bem quanto o mal (tal como Exú na Umbanda).

Lilith:

Lilith, na mitologia judaica é um demónio feminino, crê-se que foi a primeira mulher de Adão, contudo não quis ser submissa e revoltou-se. Essa personagem foi copiada da deusa suméria Lilitu, é espírito dos ventos e tempestades. O seu símbolo é a lua, pois assim como a Lua ela é uma deusa de fases boas e más. Na tradução latina da bíblia (a vulgata) chamavam-lhe Lamia (*lamiae*). Em sumério lil-la-ke significava espírito da água.

Nergal:

Nergal é outra divindade suméria, filho de Enlil com Ninlil. Divindade solar, mas associada ainda à guerra, senhor do submundo (Irkalla). Em sumério Nergal, ou Mešlamta-ea, significa grande observador. É esposo de Ereshkigal. O deus equivalente na Síria era Resheph (que também foi adorado no egito).

Leviatã:

Monstro ou serpente marinha na mitologia hebraica, é copiado de outras serpentes marinhas como a síria Têmtum, a serpente Lotan da mitologia Canaanita ou ainda Apep na mitologia egípcia... Na mitologia Suméria Tiamat (deusa do abismo, e oceano) era representada como uma serpente marinha. Na mitologia nórdica havia a serpente Jörmundgander.

Malkuth:

O nome é inspirado na última esfera (sephirah) da árvore da Cabala e representa o nosso mundo (a terra), ou ainda no nome Malkereth que significa "senhor da cidade".

Abaddon é pura e simplesmente um nome que os hebreus deram ao deus greco-romano Apolo (Apollyon, Apóllõn). E repare na semelhança, uma das suas epitetes era Abaeus/ Abaios, baseado na cidade Abae em Fócida da antiga Grécia central.

Apolo é filho de Zeus, é um deus solar, das pragas e destruição embora também trouxesse curas e sabedoria, é ainda associado à música.

É descrito como o deus da divina distância, que ameaça ou protege desde o alto dos céus, identificado como o sol e a luz da verdade. Faz os homens conscientes dos seus pecados e é o agente da sua purificação ritual; preside sobre as leis da religião e sobre as constituições das cidades, símbolo da inspiração profética e artística, sendo o patrono do mais famoso oráculo da antiguidade, o Oráculo de Delfos, onde chegaram a fazer sacrifícios para ele.

Então cristãos e hebraicos decidiram torná-lo "demónio", abbadon (Ăḇaddōn) que significa destruição/ destruidor.

Na bíblia hebraica abaddonis seria um poço ou abismo sem fundo, reino dos não-vivos.

Orobas:
O nome desse "demónio" foi roubado da mítica serpente Ouroboros que morde a própria cauda e simboliza o eterno retorno, um ciclo sem fim.

Valac:
Demónios Valac, Valefor, Vepar, Vapula são apenas variantes do mesmo nome e provavelmente inspirados na mitologia lituânica sobre vampiros.

Na mitologia lituânica Veles, Velnias, Volos é um deus do submundo por vezes representado como dragão, na rússia era Volosu. Na Lituânia veles significa sombras dos mortos, em eslavo "Volhov" significa feiticeiro.

Vapula é um anagrama baseado em Voluptas (uma deusa romana do sexo e prazer, inspirada na deusa grega Hedone).

Ahriman:
Foi copiado da mitologia persa, mas esse demónio ahriman é pura e simplesmente outro aspeto do deus solar Ormuzd.

Zepar / Zeper:
Provavelmente foi copiado do nome da divindade egípcia, escaravelho sagrado, Kheper (que também pode escrever-se: Keper, Khepera, Khepri, Khepra).

São apenas alguns exemplos.

Demónios na Goétia são 99,999% cópias e distorções inventadas pelos hebraicos.

Então coloco a seguinte questão, prefere invocar egrégoras deturpadas, visualizando imagens de entidades grotescas e perigosas no seu subconsciente.

Ou prefere invocar as divindades verdadeiras, pelo seu nome e vibração específica?

Neste sistema Goético que criei, invoco deidades na sua forma original, desde o panteão sumério, egípcio ou hindu.

Submundo nem sempre significa "inferno" ou "mundo inferior", isso é uma deturpação da religião católica, o submundo é o mundo dos deuses "oculto" do nosso, uma infra-dimensão, por vezes denominado "netherworld".
No Egipto era Duat e na Suméria era Irkalla.

Este livro expressa a minha visão, enquanto autor. O leitor é livre de concordar ou não.

A Goétia antiga medieval consistia em operar num *mindset* de medo e respeito, os grimórios na sua esmagadora maioria eram escritos por magos ou escribas com influências judaico-cristãs. Os demónios eram criaturas horrendas e assustadoras (para fomentar o medo e respeito) e acreditava-se que podíamos dominá-los e subjuga-los sob nomes divinos "Adonay, Jehova, e outros", assim, também se transmitia a noção que o deus jesuíta era o único e poderoso.

A maioria de demónios eram divindades pagãs que foram deturpadas e demonizadas, o que demonstra uma falta de consideração por essas divindades de outras religiões.

Esses rituais de Goétia eram muito complexos, longos, elaborados, alguns requeriam sacrifício de animais ou utilização de crânios humanos, invocações longas, traçar círculos sagrados e símbolos no chão (magia demasiado cerimonial), entre mais.

O sistema Goétio que criei, para este livro, é mais simples, magia prática (quase nada cerimonial) que o praticante solitário pode fazer.

Ao contrário de grimórios antigos (grimório significa livro de feitiços, do francês *grimoire*), a minha Goétia difere, pois:

Não desrespeitamos as divindades.

Não tentamos subjugar as entidades sob o nome de um falso deus hebraico (Yaweh, Adonay, Jehova que é, na verdade, Enlil).

Sabemos que "demónio" é um conceito deturpado, pois "*daimones*" em grego significa intermediário, mensageiro.

Invocamos as divindades pelo seu verdadeiro nome.

Os sigilos têm os verdadeiros símbolos correspondentes à divindade.

Não sacrificamos animais nem fazemos rituais com baixas vibrações, estamos numa vibração elevada durante o ritual.

Portanto, sem riscos.

Relembro:

Nesta Goétia não fará pactos, nem venderá a sua alma.

Não irá sacrificar animais.

Não irá subjugar nenhuma divindade sob o nome de um deus hebraico.

Não necessitará de seguir calendário de "horas mágicas" durante a madrugada sob a posição astrológica de algum planeta nem necessitará ser astrólogo, essas tabelas de horas desatualizaram-se há séculos atrás.

Trate as divindades com respeito e elas o respeitarão.

Sei o que escrevi, pratico sistemas mágicos diversos, há anos.

Muitos "magos" e autores na internet podem dizer o oposto, podem afirmar que os sistemas deles (seja Thelema, Kabala judaica, Golden Dawn, O.T.O ou outro sistema mágico-cerimonial) são os mais eficazes. Óbvio, eles querem recrutar novos membros para os seus cultos e vender os seus grimórios.

Sistemas mágicos antigos, com vários séculos, eram válidos para aquela época onde o *mindset* era outro, e a magia e os "pactos com o demónio"

97

operavam baseados no medo e no efeito nocebo. A psicoesfera (inconsciente coletivo) da época e as egrégoras coletivas eram outras.

A nossa consciência espiritual evoluiu bastante ao longo dos séculos, assim como a consciência coletiva da humanidade, hoje temos acesso a muito mais informação espiritual do que os sábios de antigamente (que apenas podiam consultar meia dúzia de livros em bibliotecas ou secretamente trocados de mão em mão.).

Hoje as verdades não são mais impostas, podemos escolher livremente no que acreditar.

Asamod

Não fujo dos meus demónios... Eu estudo os seus nomes.

Local para os Rituais

O leitor escolhe, se desejar criar um pequeno altar na sua casa e invocar as entidades, a opção é sua, tem de confiar na entidade e respeitá-la, nenhum risco pode ocorrer.
A divindade invocada tem interesse em criar um acordo consigo, um pacto é simplesmente um acordo mágico e uma reciprocidade, a divindade ajuda-o ou oferece-lhe algo e em troca dedica-lhe um ritual, oferendas e adoração continuada. É uma troca energética, compreende?

Porém, se preferir, pode fazer o ritual noutro local fora de casa, por exemplo, um barracão de madeira, uma garagem alugada (um espaço apenas seu, onde ninguém vai) algumas garagens rondam os 150 euros por mês, e se fizer trabalhos mágicos para potenciais clientes, recupera rapidamente o investimento e ainda tem lucro.

A opção é sua.

Poderia sugerir um bosque, mas esses locais são pouco práticos, são mais adequados para pequenos feitiços ou deixar despachos.

Preliminares:

Em sinal de respeito, convém tomar antes um banho para limpar a aura e purificar-se e vestir roupas limpas (inclusive se usar robe cerimonial), isso demonstra comprometimento, respeito pela entidade e pureza.

Não faça ritual depois de uma refeição pesada (de estômago cheio), pois isso irá mudar a sua vibração, ao fazer digestão sentimo-nos geralmente sonolentos, com menos energia.

Cientificamente falando, após refeições o nosso corpo concentra-se na digestão, a hormona insulina fica mais elevada após termos refeições, para fazer o metabolismo da glicose, o próprio cérebro deixa de enviar tantos tinais de "alerta" para nos mantermos atentos, e surge a sonolência. Para a digestão, o sangue flui mais para a região no estômago, desse modo, o cérebro tem menos oxigenação.

Os sigilos

Grimórios antigos recomendavam criar selos (*pantáculos*) em cobre, estanho, prata ou ouro. Caro, leitor, nem eu nem você, somos artesãos nem ourives, além disso, se for a um ourives e pedir para lhe produzirem um *pantáculo* com vários símbolos gravados num medalhão de prata ou ouro, sabe que ficará dispendioso.

O sigilo desenhe, então, em pergaminho, com uma tinta de caneta gel (mais espessa e fluída) vermelha-escura, para simplificar.

Porém, se tiver paciência e dedicação, adquira numa loja esotérica tinta de dragão (dragoeiro; *Dracaena draco L.*) e coloque na recarga de uma caneta de tinta permanente, para desenhar o sigilo.

Inicialmente imprima o sigilo numa folha branca, depois com lápis de carvão e papel vegetal copie, e "transfira" então o desenho traçando por cima e com o pergaminho por baixo.

Em seguida, desenhe com a caneta permanente sobre o desenho que ficou "transferido" no pergaminho. Outra opção é fotografar a página (com o smartphone) depois imprimir o símbolo numa folha, e então, passar com papel vegetal e lápis transferindo para o pergaminho.

Pode também, desenhar o símbolo no computador e imprimir no formato de um poster grande e fixar na parede.

Se surgir através de visões, intuições, outro sigilo qualquer (símbolo) que a entidade partilhe, desenhe num papel.

O termo certo para os símbolos é "pantáculo" ou "selo", um sigilo é um rabisco mais abstrato que representa uma frase ou entidade, porém, como é um termo mais simples e sucinto, utilizei-o.

Exemplo de sangue de dragão em tinta e a caneta permanente.

Poderia sugerir uma pluma (pena) ao estilo antigo, mas não ficaria um traço tão perfeito ao desenhar, a caneta é mais prática e mais simples de utilizar para desenho.

Para ativar ou "carregar" um sigilo, deixe-o uma noite ao luar a captar magnetismo lunar, depois, no dia do ritual passe-o pelo fumo de incenso correspondente (à divindade), e solicite à deidade que o ative.

Exemplo: Passe o sigilo (em pergaminho) pelo fumo de incenso de sândalo, depois diga "Tiamat ative este sigilo, que representa a sua essência e energia".

Exemplo:

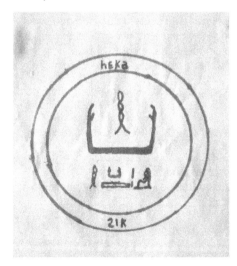

Recortado:

Manifestação

Um dos graves problemas de grimórios antigos, é que deturparam tanto a imagem e nome das deidades antigas, criando demónios horrendos que ficaram "gravados" no inconsciente coletivo da humanidade. Sempre que alguém fazia uma invocação com aquela imagem mental dos demónios na sua mente, acabava a invocar essa egrégora (pensamento-forma) nefasta.

Há que destruir velhos paradigmas e reprogramar a sua mente. Por exemplo, ao invocar Sobek, Baal, Hécate ou Astarté, não pense na imagem ou figura dessa entidade, concentre-se apenas no nome e na vibração, aliás as entidades podem assumir centenas de formas astrais diferentes, metamorfoseando-se.

Podem nem sequer materializar-se, visualmente, na sua frente. Podem apenas estar presentes em forma de energia, não visível (no nosso espetro de luz). Ou pode simplesmente não acontecer nada, e horas ou dias mais tarde.
Receberá a mensagem num sonho, ou através de uma intuição, *insight*, ou um evento sincronístico na sua vida, entende? Recomenda-se ter um espelho preto (ou superfície negra refletora) ou bola de cristal sobre um peno preto para ter visões (método de *Scrying*).

No final de um ritual, não convém ficar na incerteza, na dúvida "será que surtiu efeito?", "Isto não vai funcionar"? Pois, assim fica na vibração de carência, duvida da divindade e duvida de si mesmo, e isso não é positivo.

Tenha sempre fé e confiança, sinta-se como se o seu pedido tenha já sido realizado.

Forças ocultas começam a agir no astral, após o rito, e os efeitos não são imediatamente "visíveis" e sentidos por nós no plano material, demora algum tempo.

A magia opera na silenciosidade e na invisibilidade.

Quando invocar tenha em mente o que deseja pedir e o que tem para oferecer em troca.

Aceite os resultados daquilo que pediu às entidades, bons ou maus, certas situações ou energias terá que lidar com elas na vida por motivos cármicos, uma divindade não irá livrá-lo do seu carma, não irá violar leis cármicas.

Círculo Mágico

Pode traçar o símbolo mágico no chão, a maioria de pessoas fá-lo com sal grosso, porém podem em certos cultos utilizar-se uma mistura de ervas e cinzas brancas em pó.

Várias tradições utilizam o círculo, desde a wicca, bruxaria italiana stregheria, sistemas diversos de ocultismo, luciferianismo, entre mais. Os sumérios denominavam essa técnica de *Zisurrû*, eles traçavam-no usando farinha e orações.

Porém, tenha em mente o que significa para si o círculo.

Se for como os magos antigos que pensavam que o círculo os protegia do ataque dos demónios, o conceito de "círculo de proteção" é baseado na vibração do medo. Deseja proteger-se? Então é porque receia e duvida da entidade que está a invocar.

Acredita que um simples círculo consagrado, o protege de uma entidade milenar e poderosa? É autoiludido.

No vodú desenham símbolos no chão, os vevès, que são símbolos das principais entidades (loas) invocadas. Os vevès são desenhados com um pó à base de ervas consagradas, farinha de milho, pedras em pó, etc. Tal como o giz (pemba) na umbanda, por vezes confecionada com ervas e casca de ovo em pó, são sempre consagrados esses pós com orações.

Na Wicca é usado para manter a energia gerada durante um ritual ou feitiço dentro do círculo e para manter energias distintas do lado de fora, neste conceito o círculo não é usado para proteção, mas para concentrar a energia gerada pelo bruxo ou o Coven.

Eu imagino o círculo como algo que é simbólico e serve para delimitar aquele espaço sagrado, simboliza o macrocosmo e eu sou o microcosmo dentro do Macrocosmo. Dentro do círculo ocorre sempre uma transformação na *psique* pessoal.

Para a sua proteção, o essencial é ter um *mindset* confiante, acredite no seu poder espiritual e na sua vibração, acredite que os seus guias espirituais o protegem sempre, um mago experiente ao longo dos anos vai adquirindo *status* espiritual e vibração elevada, essa é a maior proteção. Pode, ainda, usar ao peito um pendente com talismã ou um cristal, na região do peito onde está o plexo solar.

Se optar por traçar um círculo, peça proteção à divindade invocada.

Por vezes, eu faço uma oração a Lúcifer, meu guia, a pedir proteção:

*"Lúcifer, príncipe deste mundo, luz de todos os anjos,
com a Tua sublime proteção primordial, ajuda-me à quietude do meu espírito,
dai-me proteção e dai-me forças para continuar em todo o meu percurso.
Anjo Lúcifer, Enki, Luzbel, livra-me de todas as impurezas, que possam
prejudicar-me.
Príncipe do mundo, eu Te saúdo. Estarei sempre ao Teu serviço, pois
considero-me digno da Tua proteção.*

In Nomine Dei nostri Luciferi Excelsi".

Se quiser pode ainda saudar os guardiães das quatro direções cardeais, os elementares como chamam nalguns sistemas. Prefiro a versão egípcia: os 4 filhos de Hórus:

Norte: Imseti, Sul: Hapi, Este: Quebensenuef e Oeste: Duamutef (correspondentes ao poder do fogo, terra, ar e água).

"Eu invoco para dentro da bruma dos Reinos Ocultos. Conjuro os espíritos Imseti, Hapi, Quebensenuef e Duamutef, filhos de Hórus. Juntem-se a mim neste círculo sagrado, e concedam-nos união com os seus poderes."

Altar

Em cada divindade apresento indicações sobre os materiais (cor do tecido a usar no altar) categoria de incensos e cristais, cores das velas, sigilo.
Contudo, tenha em mente alguns utensílios básicos utilizados na magia comum, podem ser aplicados: *athame*, cálice, espelho, sino. Outro utensílio mágico que pode utilizar é a espada consagrada magicamente, como ensinei neste livro na parte inicial.

Invocações

Existe uma diferença entre evocação e invocação.
Evocar é convidar a entidade a manifestar-se de forma visível, ao passo que invocação é convidar a ajuda espiritual ou a energia da entidade. Neste livro apresente basicamente invocações, a partir daí a entidade decide como comunicar consigo (como referi, pode apenas sentir a energia, pode ter visões em sonhos, intuições, sinais, etc.).

Alguns grimórios utilizam *Enns*, que são pequenas frases em latim (cânticos), não recorro a isso. Aliás, porque a maioria desses *Enns* são frases em latim inventadas ou deturpadas (associadas aos demónios da goétia judaica, e aos demónios bestas, e não à verdadeira essência destas divindades ancestrais). Em suma, é isso, a internet está repleta de muita desinformação inútil.

Opte por pronunciar o nome da divindade como um *mantra*, exemplo: *Laaaaa Mash Tuuuuuuu*

Tipos de Ritos:

Invocação: quando a finalidade é constituir um contato com as energias que devem ser utilizadas, seja para a consagração ou para a execração;

Evocação: quando têm por fim colocar em utilização energias invocadas para produzir o efeito desejado.

Consagração: quando têm por fim reservar uma pessoa ou um objeto a um uso determinado – sendo o principal deles o uso puramente mágico ou comummente religioso.

Execração: quando, pelo contrário, têm por fim afastar uma pessoa ou repudiar um objeto, de uma determinada organização estabelecida.

Hierarquia

Hierarquia

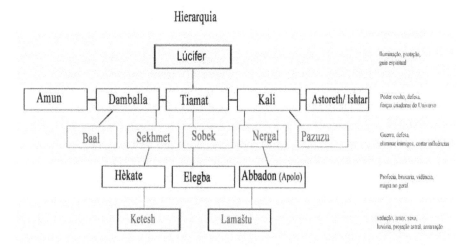

Este organograma com hierarquias não significa que as divindades tenham relação ou filiação umas com as outras, nem que estejam sob domínio da entidade acima (integradas na sua falange).

Apenas coloco a estrutura para demonstrar o grau de superioridade.
No topo coloquei divindades conhecidas como criadoras supremas do Universo.

Considero Lúcifer o mais poderoso, coloquei no topo, logo abaixo dele ficam na **segunda** linha: o poderoso deus egípcio oculto Amun, força oculta criadora do Universo, Damballa (do vodú) e Tiamat (suméria) são ambas divindades serpentes, criadoras do Universo e da vida, similares.

Na segunda linha, coloquei ainda Astoreth / Ishtar (a deusa possui vários nomes, é a mesma que Lilitu e outro aspeto da deusa egípcia Isis, que é poderosa).

Na **terceira** linha, coloquei entidades guerreiras, em nível de vibração e poder, estão equiparadas (Ba'al, Sekhmet, Sobek, Nergal e Pazuzu).

Na **quarta** linha coloquei entidades mais relacionadas à adivinhação, profecia, destino (Hèkate, Elegba, Abbadon).

Por fim, na **quinta** linha, entidades ligadas ao prazer sexual, erotismo, as sucúbos.

Embora eu saiba que Lilitu e Ketesh não são entidades diferentes de Astarte, mas sim aspetos da mesma entidade, eu coloquei os nomes em posições diferentes.

Pois, podemos trabalhar com diferentes aspetos (frequências) de uma entidade consoante o propósito, pode invocar Astarte /Ashtoreth para trabalhos de magia e proteção no geral, porém se quiser um trabalho de magia sexual, amarração amorosa, sedução, pode invocar Lamashtu ou Ketesh.

Eu, por exemplo, cultuo Lúcifer como divindade principal e comprometi-me com Ele, inclusive tatuei o sigilo na minha pele, as restantes divindes invoco esporadicamente para propósitos específicos.

Resumindo:

Antes da invocação, não tome uma refeição pesada, faça um banho higiénico, use roupa cerimonial limpa.

Entre em estado meditativo.

Invoque as divindades sempre com respeito.

Traçar o círculo é opcional. Caso o faça, peça à divindade invocada que proteja o local e apenas essa entidade comunique.

Se surgir através de visões, intuições, outro sigilo qualquer (símbolo) que a entidade partilhe, desenhe num papel.

As leis da Magia

Lei do Conhecimento:
A compreensão traz controlo; quanto mais se sabe sobre um assunto, mais fácil é exercer controlo sobre ele. Conhecimento é poder. O mago deve pesquisar tanto quanto possível e compreender as práticas que deseja empreender.

Lei do autoconhecimento:
Conhece a ti mesmo. A familiaridade com os próprios pontos fortes e fracos é

vital para o sucesso como mago.
A introspeção e a autoconsciência são fundamentais.

Lei da Causa e Efeito:
Controle cada variável e controlará cada mudança. Se fizer um ritual, seguindo as regras, sempre da mesma forma e com dedicação, o resultado será sempre semelhante.

Se as mesmas ações forem realizadas exatamente sob as mesmas condições, elas geralmente serão associadas precisamente aos mesmos "resultados"; sequências de eventos semelhantes produzem resultados idênticos.

Lei dos sincronismos:
Dois ou mais eventos acontecendo ao mesmo tempo, provavelmente terão mais associações em comum do que meramente temporais; muito poucos fenómenos realmente acontecem isolados dos eventos próximos. Sincronicidades são eventos ligados sob a superfície que não conseguiríamos ver.

Lei da Associação:
Congruência proporciona controlo. Se dois ou mais padrões têm elementos em comum, os padrões interagem "por meio" desses elementos comuns e o controlo de um padrão facilita o domínio sobre o (s) outro (s).

Lei da Igualdade:
Semelhante atrai semelhante. É provável que os efeitos tenham uma "aparência" física ou mental externa semelhante às suas causas. Ter uma imagem / som / cheiro preciso de um objeto (ou pessoa) facilita a ressonância com ele(s).

Lei do Contágio:
O contágio é transmissibilidade, a magia é contagiosa. Objetos ou seres em contato físico, ou psíquico, entre si continuam a interagir após a separação (emaranhamento quântico ou ressonância simpática).

Naturalmente, ter uma parte do corpo de alguém (unhas, cabelo, cuspe, sangue, roupas, lenços, etc.) fornece um melhor link energético.

Lei da atração positiva:
O que é enviado, retorna em ressonância. Para criar um efeito específico, deve emitir energia de um tipo semelhante. Exemplo: feitiços de atração, saturando a aura do mago ou cliente com símbolos e energias semelhantes aos desejados. Entrelaçamento de campos psíquicos.

Lei da atração negativa:
Às vezes, a energia e as ações também atraem os seus "opostos". Costuma-se dizer que o que tememos, atraímos. Portanto, nunca faça um ritual com dúvida, ansiedade ou insegurança. Ou quando está mental e emocionalmente deprimido.

Lei dos Nomes:
Um nome é tudo, é um arquétipo, é vibração, é energia. Saber o nome completo e verdadeiro de uma entidade dá controle sobre ela (ou ressonância).
É por isso que escolho invocar as divindades pelos seus nomes verdadeiros e ancestrais, em vez de nomes distorcidos pela mitologia grega ou pela goétia hebraica.
Saber o nome completo (de uma pessoa a ser influenciada) também é importante.

Lei das Palavras de Poder:
Existem certas palavras que conseguem alterar as realidades internas e externas de quem as pronuncia, e o seu poder pode estar nos próprios sons das palavras tanto quanto nos seus significados. Mantras são exemplos (no antigo Egito eles chamavam de *Hekaut*: palavras de poder), nomes no sigilo de cada divindade também são exemplos.

Lei da Personificação:
Qualquer fenómeno pode ser considerado vivo e pode ser personificado. Por exemplo, os elementais que representam os elementos (salamandras de fogo, gnomos da terra, silfos do ar, ondinas da água) e os povos antigos

114

criaram deuses para personificar as tempestades, a guerra, o mar, os ventos, os raios ...

Lei da Invocação:
É possível estabelecer comunicação interna com entidades de dentro ou de fora de si, tais entidades parecendo estar dentro de si durante o processo de comunicação.
Exemplos: processos de comunicação do espírito conhecidos como inspiração, conversa, perceções, canalização (mediúnica), sonhos proféticos, incorporação de espíritos, escrita automatizada.

Lei da Evocação:
É possível estabelecer comunicação externa com entidades de dentro ou de fora de si, tais entidades parecendo estar fora de si durante o processo de comunicação.
Exemplos: aparições fantasmagóricas (espectrais), orbes, pequenas luzes, sinais, odores, vozes, batidas em móveis (raps), etc.

Lei da Identificação:
É possível, por meio da associação máxima entre os elementos de si mesmo e os de outro ser, tornar-se realmente aquele ser a ponto de compartilhar o seu conhecimento e agregar o seu poder.
Exemplo: Quando usa a máscara de uma divindade ou se associa a ela, incorpora o seu arquétipo e ressoa com a sua energia (viadescioísmo ou absorção divina).

Lei da Informação Infinita:
O número de fenómenos a serem conhecidos é infinito; haverá sempre coisas novas para aprender.

Lei dos Sentidos finitos:
Existem muitos fenómenos reais que podem estar fora da capacidade de varredura sensorial de qualquer entidade. Às vezes, pode pensar que nenhum fenómeno aconteceu ou que uma entidade não está presente, mas é simplesmente uma limitação dos seus sentidos. Algumas entidades estão num espectro de luz além do nosso espectro visível.

Lei dos Universos Pessoais:
Cada pessoa tem a sua própria realidade pessoal (universo pessoal) e provavelmente difere da realidade dos outros. Para influenciar uma pessoa, precisa entender a sua realidade, comportar-se como ela para criar simpatia e ressonância, e ser capaz de influenciar melhor.

Lei dos Universos Infinitos:
A física quântica, por exemplo, na teoria das supercordas, teoriza que existem pelo menos 11 dimensões. Na magia, devemos ter em mente que ao nosso redor existem outras realidades e infra-dimensões, ou mesmo realidades paralelas Não só se comunica com os espíritos, mas também com outras entidades como: extraterrestres, seres interdimensionais, seres de realidades paralelas, seres astrais, etc.

Lei do Pragmatismo:
Se funcionar, é verdade. Se um padrão de crença ou comportamento permite que um ser sobreviva e alcance os objetivos escolhidos, então essa crença ou comportamento é "verdadeiro" ou "real" ou "sensato" em quaisquer níveis de realidade envolvidos.

Lei dos Paradoxos:
Se for um paradoxo, provavelmente é verdade. É possível que um conceito ou ato viole os padrões de verdade de um determinado universo (incluindo a parte de um indivíduo ou grupo de uma realidade consensual) e ainda assim seja "verdadeiro", desde que "funcione" num contexto específico.

Lei da Síntese:
Síntese reconcilia. A síntese de dois ou mais padrões "opostos" de dados produzirá um novo padrão que será "mais verdadeiro" do que qualquer um dos primeiros, ou seja, será aplicável a mais realidades (ou "níveis de realidade").

Lei da Polaridade:
Tudo contém o seu oposto (hermetismo). Qualquer padrão de dados pode ser

dividido em (pelo menos) dois padrões com características "opostas", e cada um conterá a essência do outro dentro de si.

Lei do Equilíbrio Dinâmico:

Para sobreviver, quanto mais para se tornar poderoso, deve-se manter todos os aspetos do seu universo num estado de equilíbrio dinâmico com todos os outros; o extremismo é perigoso tanto no nível pessoal quanto no evolucionário da realidade. Aprenda e adapte-se.

Lei da perversidade:
As associações mágicas às vezes operam ao contrário do que se desejava; coincidências significativas têm a mesma probabilidade de ser desagradáveis e úteis (especialmente se houver muita emoção nas situações relacionadas). Mesmo que "nada possa dar errado", algum elemento do universo pode mudar de forma que as coisas deem errado de qualquer forma.

Tem que saber lidar com imprevistos. Esteja emocionalmente equilibrado, domine os pensamentos derrotistas, tenha um foco claro, para evitar que pensamentos subconscientes interfiram no resultado desejado.

Lei da Unidade:
Todo o fenómeno existente está ligado direta ou indiretamente a qualquer outro, passado, presente ou futuro; separações percebidas entre fenómenos são baseadas em perceção e / ou pensamento incompletos. Tudo está interligado.

Prática

No capítulo de cada divindade apresento as muitas variantes dos seus nomes, isto porque, o leitor poderá escolher qual nome invocar, aquele nome com o qual tiver maior ressonância vibratória.

Abbadon / Apolo:

Como referi anteriormente, *Abaddon* é meramente um nome que os hebreus deram ao deus greco-romano Apolo (Apollyon, Apóllōn). É um deus solar, filho de Zeus, associado à música, profecia, pragas e curas. Sendo "abbadon" o nome fictício demonizado, recomendo que O invoque sob nome de Apolo ou Apóllon.

O seu equivalente na mitologia Romanda é Phoebus (Febo) que significa radiante (não confundir com *phobos*). O seu equivalente egípcio seria Hórus.

Símbolo:
O sol e a lira. Arco e flecha. No topo do sol um olho (vidência, profecia, terceira visão).

Correspondências:

Pedra associada: âmbar (é uma resina fóssil), safira amarela, citrino, pedra do sol (conhecida ainda como Feldspato Aventurino).
Ervas, plantas: Louro, lírio-do-vale, cipreste, girassol, visco.
Cores e Velas: Amarelo, dourado, branco.
Incenso: Mirra, lírio, olíbano, louro, cedro.
Número: 7.
Astro: O sol.
Dia da semana: Domingo, dia 7 de todo o mês e dia 22 de janeiro (é dito ser o dia consagrado a Ele).
Direção: Sul.

Oferendas:
Para agradar pode acender incensos para Apolo (Mirra, olíbano, cedro ou lírio), tocar um instrumento musical.

Direcione o altar para Sul.

Coloque no altar uma imagem de Apolo (gravura ou estatueta), coloque o sigilo de Apolo desenhado em pergaminho, no altar.

Pode colocar como oferenda um pedaço de pão, um pequeno copo com vinho, uma tigela com óleo de amêndoas.

Invocação:

"Phobos Apollo, arqueiro radiante e brilhante, Apollo Pythios, Senhor de Delphi e dos oráculos, Apollo Délio, Senhor da Ilha de Delos, Delphinius, destruidor do mal, Salvador, protetor de estranhos, curandeiro divino, atirador distante.

Belo e terrível deus da verdade e da luz, peço a sua presença. Eu Te invoco para estar aqui esta noite e testemunhar este rito.

Filho dourado de Zeus e Leto, irmão de Ártemis, Senhor dos hiperbóreos mais piedoso, advertente de pragas, doador de previdência, peço a Tua bênção de pureza, a Tua inspiração brilhante e a Tua canção incomparável.

Apollo, brilhante de visão distante e bela voz, vinho e mel eu coloco para Ti.

Ie, Paeon!"

Outra oração:

"Venha, Curador bendito, carregando uma lira de ouro, generativa, oracular,

Divindade selvagem e radiante, amável filho glorioso, cultivador de alegria, cujas flechas atingem o objetivo, poderoso arqueiro.

Tudo alcanças de longe, profeta, olho que tudo vê trazendo a luz que brilha sobre os mortais.

Apolo, sobre a terra abençoada Tu olhas de cima na escuridão da noite, repleta de estrelas, Tu vês claramente e tudo apoias, condece-me (fazer pedido). Ouve o pedido deste humilde seguidor.

Deixa a inspiração vir até mim, apoia a minha busca por criatividade, faz a minha imaginação ilimitada.

Espírito poderoso, expressa-Te de todas as formas possíveis, prometo estar sempre em busca de novas experiências, para reconhecer e superar as minhas limitações.

Remova todas as barreiras, bloqueios mentais, que oprimem a minha inspiração.

Vem a mim. Tu formas e carregas o selo de todo o Cosmos, Ouve, atento, as vozes suplicantes dos iniciados e auxilie-nos.".

Louro:

As videntes (Pitonisas) em Delfos tinham visões devido à queima de folhas de louro. Uma das substâncias libertadas era Elimicina (com efeito similar à mescalina).

Tendo em vista que a Mescalina e Elemicina são símiles, quantidades equipotentes são capazes de provocar efeitos semelhantes em seres humanos. O uso da Elemicina em voluntários humanos com o óleo de Elemi (Canarium luzonicum), contendo 4% de Elemicina, tem mostrado que a ingestão de 200 a 500 mg do agente é capaz provocar efeitos neurossensoriais importantes no comportamento de voluntários, a saber: com 3 gotas (0,075ml) estado de euforia, com 5 gotas (0,125ml) estado mental alterado e com 18 gotas (0,5ml) ou 428 mg de Eleimicina efeito psicadélico significativo.

A Elimicina contida no louro selvagem (não cultivado), dos bosques, era 12 vezes superior. O fumo do louro continha ainda efeitos antifúngicos e bactericidas, eram usadas ainda defumações de louro para limpar energeticamente os lares.

Mas recomendo louro selvagem (pois o louro cultivado que se vende em folhas nas lojas, tem menos concentração de substâncias).

Amon:

Deus egípcio (o oculto), no seu aspeto solar é Amun-Ra. Na Grécia era Ammon e sincretizado com Zeus.

Variantes do nome: Ammon, Amun, Amen, Amon-Ra, Hammon, Ἄμμων.

O sigilo inclui o símbolo astrológico de Amon (semelhante ao signo Carneiro, signo ao qual tem equivalência). O seu nome em hieróglifo. Os nomes em português, em copta, grego.

Correspondências:

Cor de vela: verde, azul-escuro.
Astro associado: Sol, Saturno.

122

Ervas, incenso: Açafrão, ópio, sândalo.
Cristal: Lápis-lazúli.
Elementos: Água, terra, ar.

Hino a Amun

"Salve Amun, rosto oculto de Rá.
Existes além da compreensão, das águas primordiais de Nun,
Tu criaste o mundo.

A escuridão da noite foi derrotada mais uma vez.
Salve Amun, lado oculto do Sol,
Tu, cujo rosto está escondido,
Tu ergues-te, grandioso em Poder,
Tu levantas-te em triunfo.

Grande Criador cósmico
Primogénito dos Deuses,

Salve Amun, levanta-Te em paz,
Rá sobe, os Seus raios difundem a Tua verdadeira forma,
Tu és a face negra do eclipse, brilhante escondido na escuridão, Conhecido,
desconhecido, visível e incognoscível.

Salve Amun, grande e bom Rei,
Aquele que escuta em silêncio, cujos ouvidos são atentos,
Tu cuja misericórdia é abundante.

Saudações a Ti, o rosto oculto de Rá,
Podes abençoar-me como eu Te abençoo,
Saudar-me como eu Te saúdo,
Ergue-te para sempre em paz, querido Amun,
Grande Amun, o lado oculto do Sol."

nuk per Amun imy-ib
(Eu venho a Amun de coração puro).

per-ib imy-khat ankh.i em djed.
(e de coração puro, ele vive nas minhas palavras).

É importante fazer ainda saudações em Kemètico (egípcio antigo) devido à vibração mântrica.

Inodj har-ek Ra, nofer en ra nib, uben dual na ir-ef a'bu
(Homenagem a ti Ra, perfeito a cada dia, que nasces na aurora sem falta)

Khopri uredj im ka't! Setu-ek im har na rekh-tu-es,
(Kephri, incansável no seu trabalho. Seus raios cobrem o rosto, misterioso).

Moses iuti mos-tu-ef, wah hir khu-ef, sebeb neheh,
(Criador autocriado, que atravessa a eternidade).

Hiri waut im heku kher sek-ef. Mi ima'u-ek mi ima-u heret.
(Tu, que tens milhões sob a tua guarda, o teu esplendor é como o dos céus).

Tjehen iun-ek er inem-es. Dja-ek pet, har nib har ma'ek.
(Quando cruzas os céus, todos os rostos te observam).

Ta nib im hetjet en uben-ef ra nib.
(Todas as cidades regozijam ao ver-te renascer cada dia).

Feitiço de Hino a Amun

Este feitiço foi criado para fazer uma pessoa especial pensar em si e, com sorte, retribuir o seu afeto. Pode ser feito a qualquer momento durante o mês, mas para energia adicional é melhor realizado durante a lua crescente ou na noite de lua cheia. Escolha a cor de vela que melhor se adapta à sua intenção: dourada para realizar um sonho, verde ou rosa para atrair carinho, ou amarela para fazer alguém pensar em si.

Itens:

Uma vela de 14 cm (escolha a cor certa para o seu objetivo). Óleo de sândalo, incenso de olíbano, incensário, papel de um saco de papel castanho, uma caneta vermelha, pinças, um caldeirão ou outro recipiente à prova de fogo, fósforos.

Acenda o incenso, respire profundamente e relaxe. Usando a caneta vermelha, escreva no papel castanho as suas razões para querer trazer essa pessoa para a sua vida. Seja específico e também escreva as razões pelas quais sente que essa pessoa é quem deseja e o que espera realizar com este feitiço. Unte a vela, do topo para a base, com óleo de sândalo e recite:

"Ó Grande Amon,
ouve o apelo deste teu humilde servo, (o seu nome legal),
ungi esta vela em Teu nome, traga para mim aquele(a) que eu mais desejo,
traga (nome do pretendido) para mim,

Ó Grande Amun,
Você tem o poder de realizar tudo, ouça o meu apelo,
Grande Amun, Oculto, Aquele que ouve todas as orações,
traga (nome da pessoa amada) para mim agora,
para que poder compartilhar a minha vida com ele(a),
para sempre e por toda a eternidade, cuide dele(a), proteja-o(a), mantenha-o (a) seguro (a) até que eu possa segurá-lo (a) nos meus braços,
Ó Grande Amun, ouça e atenda a minha prece. "

Beije o papel uma vez, unte-o com uma gota de óleo de sândalo e dobre-o duas vezes. Acenda a vela e silenciosamente peça a Amun a sua ajuda neste assunto.

Usando a pinça, segure o pedaço de papel sobre a chama da vela para acendê-lo, jogue-o no caldeirão e deixe queimar completamente.

Permaneça com a vela até que ela queime por si mesma e tenha pensamentos positivos sobre o quanto deseja que ela se manifeste. Quando a vela queimar, agradeça a Amun por ouvir a oração.

Feitiço de Amun para Protecção:

O nome pode escrever-se Amun ou Amon.

Itens:
Uma vela branca, imagem do hieróglifo de Amun (pode imprimir em papel). Incenso de sândalo.

Instruções:
Acenda a vela e coloque o desenho em baixo dela. Acenda o incenso.

Diga:

"Não há abrigo para o coração, exceto em Amun.
Aquele cujo nome é segredo.
Pronuncio as Suas palavras em voz alta para que todos possam ouvir sobre a Sua bondade.
Peço a Sua proteção e boa sorte."

Em seguida, pegue o papel e coloque-o na frente da vela.

Diga:

"Prossiga em paz, para eu poder repetir as boas obras que o meu coração fez para silenciar o mal.
Fez quatro boas ações no meio do portal do horizonte.
Fez os quatro ventos para que cada homem respire no seu momento. Fez o grande dilúvio para que os pobres tenham o poder dos grandes.
Fez todo o homem igual ao seu semelhante.
Ordenou não praticar o mal e fazer oferendas divinas aos deuses."

Em seguida, pegue o papel e coloque-o sob a vela novamente:

"Amun, cujo nome é secreto,
abençoe-me com a Sua proteção e boa fortuna."

126

Em seguida, deixe a vela queimar completamente. Pegue os restos da vela e do papel e atire-os num riacho ou rio de fluxo rápido.

Astarte (Astaroth):

Como referi no início, Astaroth é uma deturpação da goétia (demónio), contudo a verdadeira divindade é feminina. A deusa fenícia Astarte, que equivale à deusa Ishtar na babilónia (e mais tarde Inanna) e a Qetesh egípcia. Astarte (ou Astoreth) é a deusa da fertilidade, sexo e guerra. Era Ostara (deusa nórdica anglo-saxã da fertilidade). Portanto, nos rituais e invocação invoque por um desses nomes:

Ishtar / Lilitu. / Astarte / Astoreth/ Tanit-Ashtart/ Asherah / Inanna / Qetesh / Ostara (a anglo-saxã).

O sigilo inclui o símbolo astrológico de Lilith (Astarte)e por trás a estrela de oito pontas. O símbolo parece ter "chifres" no topo da cabeça, mas na realidade é a lua crescente. Os nomes de Astarte em árabe, português e cuneiforme.

Correspondências:

Direção: Este.
Dia: Sexta.
Planeta associado: Vénus.
Metal: Prata.
Elemento: Ar.

Cor/ vela: Azul-escuro, prateado.
Oferendas: feijão-frade, cerveja, flores, lírios.
Cristal: Lápis-lazúli, jaspe, pedra da lua.
Número: 8 (a estrela de 8 pontas, por exemplo).
Incenso: Olíbano, mirra, cipreste, lótus, sândalo.

No altar coloque elementos nessas cores.

Por exemplo: Velas prateadas ou azul-escuro, incenso de mirra ou lótus.

Algum objeto de prata. Lírios, etc.

Vire o altar para Este, escolha uma sexta-feira para o ritual.

O tecido do altar pode ser branco e com adornos em prateado ou cinza-claro.

PS: Diferentes povos e distintos livros sagrados atribuíam nomes diferentes à deusa, algumas deusas são, na verdade, a mesma. Pode optar por chamar-lhe Astarte, Ishtar, Lilitu, Qetesh, Asherah, como preferir.

Invocação a Inanna:

"Salve! Sagrada que surge nos céus!
Salve! Santa Sacerdotisa do Céu!
Salve Inanna, grande Senhora do Céu!
Tocha sagrada! Tu enches o céu de luz!
Tu iluminas o dia ao amanhecer!

Salve Inanna, grande Senhora do Céu!
Incrível Senhora dos Deuses, Annuna!
Coroada com o crescente lunar,
Tu enches os céus e a terra com luz!

Ao anoitecer, a estrela radiante, a grande luz enche o céu,
A Senhora da Noite vem bravamente do céu,
As pessoas em todas as terras levantam os seus olhos para Ela,

O boi na sua canga baixa para ela,
As ovelhas levantam a poeira no seu aprisco,
As feras, as muitas criaturas vivas da estepe,
Os exuberantes jardins e pomares, os juncos verdes e as árvores,

Os peixes das profundezas e os pássaros do céu,

Inanna os faz correr para os seus lugares de repouso.

Salve Inanna! Primeira filha da Lua!

Poderosa, majestosa e radiante,
Tu brilhas intensamente à noite,
Tu iluminas o dia ao amanhecer,
Tu estás no céu como o sol e a lua,
as Tuas maravilhas são conhecidas acima e abaixo,
Para a grandeza da Santa Sacerdotisa do Céu,

Para Ti, Inanna, eu canto!"

Se quiser trabalhar com o aspeto (vibração) de Lilith/ Lilitu:

O sigilo inclui o símbolo astrológico de Lilith (semelhante ao símbolo astrológico de Vénus, porém com a meia-lua no topo, na fase lua minguante).

Os nomes de Lilitu em árabe, português e cuneiforme.

Incluí corujas (eram associadas a Lilith inclusive em gravuras suas existem corujas), e incluí uns anéis que se assemelham ao arco superior da cruz Ankh.

Esse símbolo era utilizado por divindades no império sumério e império neo-assírio.

O nome era bem simples, conhecido por anel e vara (*rod and ring*). O "Anel" era feito com uma corda e a vara era de madeira, porém eu acredito que fosse feito em metal ou pedra preciosa.

Os egípcios tinham um amuleto idêntico, conhecido por anel Shen (*Shen ring*) e simbolizava proteção eterna, ou representava o disco solar, a palavra Shenu simboliza rodear. Shen, segundo alguns livros, significava eternidade.

Correspondências:

Vela: Castanho, azul-escuro, prateado.
Astro: Lua, Vénus.
Elemento: Ar.

Direção: Este.
Cristal: Lápis-lazúli, jaspe, pedra da lua.
Número: 8.
Incenso: Olíbano, mirra, cipreste, lótus, sândalo.

Hino:

"Salve Ištar, grandiosa no horizonte!

Tu és minha amada divina, minha mestra espiritual!

Ištar seja louvada! Que a Tua obra no mundo seja feita por meu intermédio! Que nenhuma parte de mim não esteja totalmente entregue à tua obra!

Usa-me ó esplendorosa, cuja beleza é a inveja dos deuses! Ištar seja louvada!

Tu és justa com quem merece, ó senhora dos céus! Tu és severa e exigente, quando necessário.

Ó grandiosa que cruza as estrelas!

A Tua glória é incomparável entre o divino! Ištar seja louvada!

O Teu amor é como as pedras preciosas! A Tua guerra é como a lâmina mais afiada!

Os Teus olhos brilham como uma pedra polida de lápis-lazúli! Ištar seja louvada!

Minha conselheira, minha musa, minha introspeção. O meu trabalho é para Ti, ó maravilhosa irmã dos céus!

Não há nada para Ti que eu não daria! Ištar seja louvada!

Leve-me, faz-me Teu, eu me entrego a Ti, senhora!

És a beleza das estrelas, minha deusa! Ištar sejas louvada!"

A deusa tem vários nomes, pode escolher chamá-la por:

Lilith, Lilitu, Ishtar, lil-la-ke, Lamiae, lamia, Astarte, Layil, Laylah.
É a deusa dos mil nomes. Mystis, a Senhora dos Mistérios.

Invocação:

"Deusa da Noite e da escuridão, Lilitu, ouve o meu chamado e vem até mim.

Protege-me sob o Teu manto, dos ventos do deserto sombrio.
Envolve-me na Tua sombra, Rainha, desperta o poder do dragão no meu templo de carne.

Invoco o Teu nome, Lilith, mais bela e esplendorosa que o nascer do sol e suplantando o por-do-sol que abre os portais da Noite.

Abençoa-me com o Teu amor e desejo desperto, na minha alma, com o Teu toque.

As portas de Sitra Ahra estão abertas para aqueles que se atreverem a seguir o Teu caminho.

Invoco-Te, eu Te chamo ó deusa Antiga. Mãe de todos os daimones, que se senta no trono daqueles que governam o mundo.

Destruidora e Criadora, cuja face esquerda está às sombras e a face direita é resplandecente, vem a mim!

Vem à minha carne, que Te ofereço como um templo e manifesto no altar da minha alma imortal, Invoco-Te sob o poder dos teus nomes: Lilith, Lilitu, Ishtar, lil-la-ke, Lamiae, Iamia, Astarte, Layil, Laylah.

Mystis, Senhora dos Mistérios. Deusa da lua oculta,
Mãe do pecado, revela a Tua verdadeira forma, responde de forma sucinta.
Garante-me conhecimento, a sabedoria da noite.

Ho Hopis Ho Archaios, Ho Drakon Ho Megas".

Mantra:

KISIKIL LILAKE, KISIKIL LILAKE.

Nota:
Pode adaptar esta invocação para Astarte, Tiamat, apenas mudando o nome das deusas ao invocar.

Baal:

Divindade Canaanita da fertilidade e da guerra, Ba'al significa "Senhor". Nos rituais e invocações não use o nome deturpado de Baalzebub ou Belzebú, invoque-o pela sua verdadeira essência Baal, Bael, Baal-berith ou Marduk (deus sumério).

Os grimórios como referi algumas vezes, criaram demónios falsos distorcendo os nomes de deuses antigos, Baal é um exemplo, inclusive o símbolo do "demónio" Baal não corresponde em nada á sua essência.

Este sigilo criei-o baseado no símbolo verdadeiro e antigo de Ba'al Hadad, deus solar e lunar, inclui a estrela (sol) e a lua crescente, por baixo coloquei dois raios, pois tanto para os canaanitas Baal (Hadad) e Baal é um deus das tempestades.

Inseri o nome em português, grego e cuneiforme.

Correspondências:

Cristal: ónix, turmalina negra.
Vela: Laranja escura, preta.
Incensos: Pode ser sândalo. Ou uma mistura de ervas secas e trituradas juntas: artemísia, galanga (*Alpinia galanga L.*), casca de laranja, resina de olíbano, sândalo, verbasco, myrica.
Astro: Sol.
Elemento: Fogo.

Tecido para o altar: pode ser cinzento ou preto.

Acenda algumas velas, coloque o sigilo de Baal no altar.

Para o seguinte ritual (para atrair poder oculto e sabedoria mágica) utilize velas roxas.

Invocação:

"Salve, Baal, o misterioso de todos os Deuses, conhecedor de todas as coisas ocultas.

O meu desejo de aprender os seus segredos e os do universo é enorme.

Permite o meu desejo de sabedoria dar a este pedido asas para tomar o voo e se estabelecer na sua mente.

Eu Te peço que me facultes as habilidades para aprender os grandes mistérios.
Sussurra nos meus ouvidos que possa ouvir, abre a minha mente para eu poder discernir, abre os meus olhos para que possa ver.

Faz isso por mim e eu serei eternamente grato. Que assim seja".

Ritual para dinheiro e abundância na vida

Neste ritual utilize velas verde-escuras. Melhor fase: Lua crescente ou cheia.

Deixe algumas moedas sobre o altar.

Acenda incenso.

Deixe um cálice com vinho, como oferenda.

Faça a invocação:

"Salve, grande Baal, o ressuscitado!

O mundo uma vez lamentou a sua morte, e chegaram então doenças e pragas sobre a terra. Tu ouviste os chamados e regressaste para o bem do céu e da terra.

Senhor Baal, remove do meu corpo e da minha alma qualquer mal que me afastou da abundância material.

Se é uma maldição sobre mim ou a minha família, remova-a, defina as minhas metas. Restaura em mim as habilidades para manifestar a abundância que eu tanto necessito. Irei honrá-lo sempre.

Que assim seja."

Repita sete vezes os nomes:

"Baal, Baal Hadad, Baal-Tzaphon".

Para destruir inimigos, utilize velas pretas

Acenda os mesmos incensos citados anteriormente.

Melhor fase: Lua minguante.

Invocação:

"Ó grande e terrível Senhor do Céu, Baal, o guerreiro e Rei do Céu, peço-Te, Como derrotaste a Yam, o deus do mar, destrói igualmente os que me querem mal.

Faz tremer os seus pés, faz cair os céus sobre as suas cabeças.

Reduza-os em pedaços, pois são o inimigo.

Que a vergonha deles os consuma por dentro. Que eles possam, como Yam ser espalhados por todo o país em pedaços.

Peço o Teu conselho celestial para ajudar-me nesta tarefa. Que assim seja."

Damballa

Dambalá, Dambelá, Dambará, Dambirá, Dã, Dambalá Huedô ou Dambalá Uedó (Damballa Weddo), no tambor de Mina e vodu haitiano, é um loa. Equivale ao orixá Oxumarê e Dã do vodu. É representada como uma grande serpente branca oriunda de Uidá, no Benim. Diz-se que é pai do céu e criador primordial da vida ou a primeira coisa criada pelo Grande Mestre.

Nas sociedades que o veem como criador, criou o cosmos usando as suas 7 000 bobinas para formar as estrelas e os planetas no céu e modelar as colinas e vales da terra. Em outras, sendo a primeira coisa criada pelo Grande Mestre, a criação foi realizada através dele.
Ao derramar a pele de serpente, Dambalá criou todas as águas da terra. Como serpente, se move entre a terra e a água, gerando vida, e através da terra, unindo a terra às águas abaixo.

Possivelmente a serpente, simbolicamente, é uma alusão ao braço da galáxia (via láctea) visível no céu, a grande "serpente" cósmica.

Também era conhecido por Dani Blanc.

Como a cobra troca periodicamente a sua velha pele e "renasce" numa nova, os ancestrais viram nela uma conexão com o renascimento, imortalidade e cura.

Os Astecas e Toltecas adoravam-no como serpente emplumada: Quetzalcoatl.

Símbolo: Eu poderia ter criado um sigilo com qualquer símbolo de uma serpente, porém, quis ser fiel aos vevès do vodú. Geralmente surgem duas serpentes (Damballa e a esposa Ayida Wèdo), contudo criei com base num vevê vodú este sigilo com apenas uma serpente (a Damballa). O triângulo na base, simboliza o mundo material.

Correspondências:

Dia de culto: Quinta-feira.
Cores: Verde, ou branco.

O tecido do altar pode ter cor verde ou branco (mas preferencialmente branco).

140

Segundo o Vodú caribenho, uma das bebidas de oferenda pode ser orchata de chufas. É uma bebida vegetal branca feita com chufa (tubérculo que nasce nas raízes da junça: Cyperus esculentus).

Há diferentes categorias de bebidas, algumas feitas à base de cevada, grãos, castanhas, tubérculos. Porém, pode oferecer, no altar, um copo de rum, e acender cigarrilhas, ovos (inteiros, crus), flores.

No altar pode colocar o sigilo de Damballa. O tecido que cobre o altar deve ser branco.

Mas deixo uma nota: O vodú é uma religião e sistema mágico complexo, requer anos de prática e para invocar os Loas convém saber desenhar no chão os seus símbolos (vevès) com pó mágico consagrado ou cinzas.

Este ritual no livro é mais simples, para o praticante solitário fazer em casa, de qualquer modo apesar de simples, o que importa é a sua intenção focada e a invocação da entidade.

Mostre respeito, reverência e faça a oferenda ritual.

Acenda velas brancas, coloque o sigilo sobre o altar. Pode colocar uma estatueta (decorativa em resina, ou madeira) que represente uma cobra.

Deixe cigarrilhas, rum ou licor de anis, flores, coco, como oferenda.

Coloque um copo com água.

Aconselha-se colocar um cristal branco (selenite, ou quartzo branco, ou mármore) em formato de ovo, representa o grande ovo cósmico.

Oferendas:

Os Voduístas fazem comidas brancas como oferendas. As oferendas líquidas devem ser descartadas sobre a terra ou um vaso com terra. As comidas devem ser despachadas numa sacola clara e jogadas no lixo. Caso vá despachar ou oferecer na natureza, coloque as oferendas de Damballah aos pés de alguma árvore bem bonita.

Outra oferenda pode ser arroz cozido (mas sem sal).

As oferendas em comida, não poderão ser posteriormente consumidas por si (ao contrário de outros cultos, como na Umbanda ou na magia egípcia).

No Vodú a comida para os espíritos, é apenas para eles.

Saudação a Damballa:

"Para Damballah Wèdo, sábia e justa serpente eterna. Pai antigo e venerável. Criador e protetor. Fonte da sabedoria da vida. Patrono das Águas do Céu e dos rios. Aceite as minhas oferendas.

Entre no meu coração, no meu peito, nos meus braços e pernas.

Entre e dance!"

Mantra:

Me roi e 'Damballah Ouedo, ou ce gran moun, ho, ho, ho, me roi e'. Damballah Ouedo ou ce 'gran moun la k'lle ou.

(O meu rei é Damballah Ouedo. Você é Grande, ho, ho, ho, meu rei é.

Elegba

Elegbá ou Elleguá é uma entidade controversa e difícil de entender, principalmente porque na Umbanda dizem ser um Exú, mas nos cultos africanos como Candomblé um Exú é um Orixá.

Tem, ainda, muitas variantes no seu nome e sincretismos, Elegbá, Elegbará, Elleguá, Legbá, Atibon Legba, Liwaa, Bará, Aluvaiá, entre mais.

A palavra Elegbara significa "aquele que é possuidor do poder (agbará)".
É o primeiro dos quatro guerreiros junto a Ogum, Oxum e Oxóssi.

Na Santería (culto Lucumi) está sincretizado com santo niño de Atocha.

Dizem que Elleguá é travesso, ele é conhecedor do destino, pode abrir caminhos para nós, revelar coisas, trazer sorte.

Está presente na hora do desencarne e do renascimento.

No vodu haitiano, é chamado Papa Lebá e Petro, dono da encruzilhada, é intermediário entre os outros loas (espíritos) e humanos, sendo o primeiro e último espírito a ser convocado nas cerimónias.

Nalguns cultos simbolizam-no como uma cabeça feita em pedra e cujos olhos e boca são búzios, na qual se faz assentamento do seu espírito ou axé, na Umbanda os seus símbolos são o círculo e as flechas.

No sigilo incluí um tridente, símbolo de Exú bará, a seta e os búzios (símbolos de Elleguá) e o seu nome em variadas formas.

Correspondências:

Cores: As suas cores são o vermelho e preto.
Números: Os seus números são o 3 e o 7.

Velas de oferenda podem ser metade pretas e vermelhas (a vela possui duas cores, uma metade vermelha e a base preta), também se pode utilizar velas brancas para alguns pedidos simples.

Oferendas: Rum, Wisky, cigarrilhas, caramelos, coco, milho cozido, são outros exemplos de oferenda.

144

Dia: O seu dia é segunda-feira, astro associado: Sol.

Quando O invocar faça o pedido para Ele proteger a cerimónia:

"Em nome da sagrada tradição iniciática e, em presença de todos os espíritos protetores, eu Te invoco Elegbá, para que purifiques este espaço contra toda a má vibração, protege contra espíritos negativos.

A Ti, Elegbá, ofereço esta vela branca com a qual te ilumino".

Laroye Elegba".

Oferenda a Elegbá para evolução espiritual na vida

Ingredientes:
Água, fubá, goiabada, azeite de dendê, 3 moedas, um prato de barro, vela de 7 dias.

Preparação:
Faça 3 bolas de fubá com água e dentro das bolas coloque um pedaço de goiabada e cubra com a massa. Depois coloque um pouco de EPÓ (dendê) em cima das bolas.   Arrume num prato de barro e coloque as 3 moedas. Em cima das moedas coloque as bolas de fubá com a goiabada dentro.

Acenda uma vela de 7 dias.

Deixe tudo aos pés de ELEGUÁ por 3 dias.

Peça a Elegba, durante esses três dias com muita fé, que lhe dê evolução na vida pessoal e espiritual.

No final do terceiro dia, com exceção da vela, leve tudo e deixe num bosque.

Fazer uma "cabeça" de Elleguá sem sempre é fácil (o termo certo é carga, em vez de cabeça), requer vários ingredientes, incluindo:

terra de 4 esquinas, terra da frente de uma igreja, vinho de três garrafas, água benta, 21 pequenos búzios, entre outros ingredientes, amassar tudo numa pasta e moldar a cabeça.

Deve haver ervas, cinzas e outros ingredientes no interior, fazem-se rezas (deverá ser consagrado por um Babalawô).

O mais prático é comprar uma imagem já feita, antigamente também usavam um coco grande. O importante é ter uma representação de Elleguá no seu altar e o sigilo.

Sempre que deixar oferendas e fizer oração, a entidade irá escutar.

Héka

A deusa grega da bruxaria, Hécate ou Hékate, é possivelmente inspirada no Egito. No Egito a palavra magia e a prática mágica era Heka ('hɛkə), além disso havia a deusa egípcia Heket (ḥq3t ou ḥqtyt).

Praticamente todos os deuses e deusas egípcios eram experientes em magia. Heket egípcia é a deusa da fertilidade, esposa de Khnum.

Em grego Hékatos (Ἑκατός) significa vontade, mas também "quela que opera à distância" ou "a que alcança longe". Por vezes chamavam-lhe Perseia (que significa filha de Perseu).

Deusa tríplice, pois apresentava-se com três faces, podia ver o passado, presente e futuro e tinha domínio sobre o submundo, a terra e o mar.
Para os romanos era considerada Trívia - a deusa das encruzilhadas.

Contudo, vamos focar-nos na personificação da magia (Heka, ḥk3) enquanto deidade, como faziam no antigo Egito. Esqueçamos por momentos, a mitologia grega, que copiou a maioria de divindades do Egito.

O conceito de magia e poder mágico, reside na Heka egípcia, a divindade personificada de magia e poder mágico.

Todas as divindades possuem Heka (poder mágico) Heka significa aplicação do "Ka", força vital. Heka foi personificado como deus da magia e também, por vezes, da medicina, daí "Heka" significar também "ativação do Ka", ele ativava a energia Vital "Ka" dos doentes, restabelecendo-os. Heka simboliza ainda a conexão sagrada e mágica entre o mago e as divindades.

Também havia um cetro de pastor, denominado "Heka" que os faraós usavam, e alguns sacerdotes, símbolo de sabedoria e poder.

O sigilo de Heka tem o seu hieróglifo em egípcio, o nome em egípcio e em grego.

Invoque o deus Heka para pedir apoio num ritual mágico, ou para obter maior poder mágico.

Cor da vela, consoante o propósito desejado, mas branca dá para geral (cor neutra).

Correspondências:

Cor de vela: castanho, branco.
Ervas, incenso: estórax, ópio, sândalo.
Cristal: ónix.
Elemento: Fogo.

Hino:

"Heka, é o poder dos deuses e o poder da palavra, ofereço-Te esta prece. Heka, criado por Atum no tempo antes dos tempos, louvado em lunyt com Khnum e Neith.

No barco de milhões de anos Tu estás na vanguarda, cujo poder supera tudo que existe, Quando Tu falas, tudo se torna manifesto e real.

Heka, verdadeiro poder mágico, deus protetor dos sábios que procuram aprender a Tua arte, matador de serpentes, que concede habilidade ao curandeiro e força ao enfermo.

Invoco Heka, grande deus dos impossíveis, oro a Ti e peço que a minha vontade seja poderosa".

PS: Aqui, vontade significa força de vontade, intenção, propósito.

Para proteção espiritual ou poder mágico

Acenda uma vela branca, sobre o sigilo de Heka.

Diga:

"Não existe conforto para o coração senão em Heka.
Deus Heka, cujo poder e essência são secretos, pronuncio o seu nome em voz alta para que todos possam ouvir.

Heka!
Peço a Tua proteção e poder espiritual."

Pode fazer um pedido em específico, se for para defesa ou vencer um inimigo, por exemplo.

Em casos de amor use vela vermelha, saúde vela verde, paz interior ou estudos uma vela amarela, e assim consecutivamente.

Sugiro nos rituais de magia com esta divindade, que segure na sua mão um ceptro "Heka", que possui o mesmo nome que a divindade e representa o poder mágico Heka.

Também poderá estender os dois braços para o ar (gesto igual ao hieróglifo de Heka) quando invocar a energia de Heka.

Ceptro Heka:

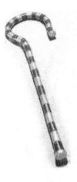

Pode passa-lo pelo fumo dos incensos e dizer:

"Consagro este utensílio de poder. Este é o símbolo do poder mágico, a minha herança antiga. Sustenta-me e fortalece-me, é uma celebração do que eu sou.!"

Se quiser trabalhar com a deusa **Hékate**.

Hékate

Símbolo: símbolos associados a Ela, como as fases lunares e a tocha.

Correspondências:

Dia da semana: Sábado e Segunda.
Ervas: Salgueiro, meimendro-negro, mandrágora, cipreste, gergelim, dente-de-leão.
Cristais: ónix, turmalina negra.

Cores: Dourado, prateado, preto.
Números: 3 e 9.
Elementos: Ar e fogo.

Numa noite de Lua nova.

Para obter visões psíquicas, revelações

Acenda três velas pretas, coloque-as no altar num padrão de triângulo. Acenda incenso de mandrágora ou cipreste. Melhor fase: Lua crescente ou cheia.

Coloque na sua testa, chacra da terceira visão, uma turmalina preta.

Diga:

"Senhora do abismo, deusa da magia e da profecia, Hékate,
ergue a Tua mão contra os inimigos perigosos,
conduz-me ao conhecimento dos antigos rituais.

O sol é escuro, nos Teus domínios, ainda assim, brilha numa luminescência refletida, para dar-me compreensão e fortalecer a minha fé, confortar-me na mais escura das noites...

Não existe fim para a vida ou crescimento, a não ser que a mente e a alma morram, diante de mim, mãos gentis se estendem, de compreensão,
Ó grande deusa, Hékate, abençoa a minha alma".

Apague as velas, durma com o cristal debaixo da almofada sete dias.

Preste atenção aos seus sonhos, ou sinais/ sincronicidades ao longo do dia.

Kali

Deusa hindu.

A Deusa Kali (Kali significa "negra" e/ou "tempo") possui um elemento de vampirismo (mitema) no seu mito, qual seja, quando um inimigo dos deuses chamado "Raktabija" (Rakta = sangue e Bija = semente) está prestes a destruir todos os Deuses.

Kali é convocada para lhe fazer guerra, porém a cada gota que cai do mesmo no solo, nasce uma nova duplicação de Raktabija, a ponto da batalha ficar quase perdida.

Diante disto Kali passa a engolir cada gota de sangue de Raktabija (e elas não tocavam o solo), e assim vence-o.

Conhecida ainda como Kālarātri (noite azul escura).

Ela é seguida por uma série de entidades hindus chamadas Dakinis, vampiras (azra-pas), segundo o texto hindu dos "Puranas".

Mahakali, ou a Grande Kali com dez braços é a sua manifestação universal e transcendental, associada pelo texto "Kalika Purana" ao imanifestado Brahman, que pode ser traduzido como da natureza do "Nirvana" dos budistas. Acredita-se ser um lado sombrio da deusa Durga.

No budismo as Dakinis passam a ser instrumentos da iluminação búdica. Enquanto Deusa do Tantra Yoga, que são as técnicas de aprimoramento espiritual que promovem a identificação com os Deuses e a energia sexual para promover a iluminação, assim como o despertar das faculdades ocultas do homem. Kali então é denominada, entre outros nomes, de "Kali Smashan" ou "Kali dos crematórios", pois queima todo o carma, possuindo quatro braços, um tridente e uma espada recurvada nas mãos direitas.

Embora Kali seja associada ao mal, ela tem uma função idêntica ao ceifador/à morte, colhe as almas e gere a reencarnação dos seres.

Simbolicamente Kali é "destruidora" de paradigmas e do ego, destruidora das ilusões (Maya).

A nível do cosmo simboliza forças de destruição e transformação, o universo é um equilíbrio entre atração e repulsão, positivo e negativo, matéria e antimatéria, buracos negros "destroem" mundos para criam outros no seu outro lado, ao conduzir a novos mundos.

Invoque Kali para solicitar transformação na sua vida, romper algo antigo ou velhos hábitos, gerir o carma.

Os hindus pediam para quando chegasse a sua morte que esta fosse rápida e serena, sem sofrimento.

Variantes do nome:
Kali, Kālarātri (noite azul escura), Maha Kali (a grande Kali), Kali Smashan, Chaturbhuja Kali, Chinnamastā, Dakshina Kālikā, Kaushika, Kali Ma (Mãe Kali).

Consta que teria mais de 108 nomes.

Sigilo de Kali com um dos seus símbolos (existem outros), a língua exposta é famosa, mas coloquei os seus olhos no símbolo. Os nomes e variantes do nome em sânscrito e hindi.

Correspondências:

Cor da vela: Preta, vermelha (aspeto do fogo).
Incenso: Jasmim, hibisco, mirra, sândalo.
Dias: Terça-feira.
Cristais: Obsidiana, Ónix, quartzo fumado, calcedónia azul.

No altar pode ainda colocar pequenos crânios (em resina, decoração de Halloween, por exemplo.). Uma adaga.

Ao saudar Kali diga o mantra:

"Om Krim Kalikayai Namah".

Que significa: Curvo-me, em reverência, perante Kali.

Hino:

"Om Maha Kalyai, Ca Vidmahe Smasana Vasinyai, Ca Dhimahi Tanno Kali Prachodayat"

(Om, Grande deusa Kali, a única, que reside no oceano da Vida e nos Solos da Cremação que dissolvem o mundo. Concentramos as nossas energias em Ti, que nos concedas bênçãos.

Om karala-badanam ghoram mukta-kEshim chatur-bhuryam.

kalikam dakshinam dibyam munda-mala bibhushitam,

sadya-chinna shira kharga bama-dordha karambujam,

abhayam baradan-chaiba dakshina-dardha panikam"

(Om, de rosto feroz, és morena, com cabelos esvoaçantes e quatro braços. Dakshina Kalika divina, adornada com uma guirlanda de cabeças. Nas Tuas mãos de lótus à esquerda, uma cabeça e uma espada. Concedes santuário e bênçãos com a Tua mão direita.)

Om Kali Ma!"

Oferendas para a deusa:

Flores vermelhas, doces (caramelos), arroz (cru) ou arroz cozido (com leite), meloa, mel.

Ritual de "romper" situações antigas e trazer algo de novo:

Ingredientes:

Incenso de Sândalo ou Jasmim, 1 vela preta e 1 vela vermelha.

Sigilo de Kali.

Fase lunar: Lua minguante.

No altar tenha uma estatueta de Kali ou o sigilo em pergaminho.

Acenda um incenso de Jasmim ou sândalo e passe pelo seu corpo.

Saúde Kali:

"Om Krim Kalikayai Namah". (Eu curvo-me perante Kali).

Acenda a vela negra, que simboliza o aspeto mais obscuro da deusa, e diga:

"Kali, deusa da transformação e renascimento, ajuda-me a libertar de (situações, problemas) e a criar algo novo. Quero viver no meu melhor potencial".

Concentre-se na chama da vela alguns minutos.

Acenda agora a vela vermelha, que representa a força viva de Kali e o aspeto da vida.

Diga:

"Kali, esta vela vermelha representa a minha nova vida. Ajuda-me a criar um novo Eu, que eu possa realizar as minhas melhores aspirações".

Termine com algumas oferendas deixadas no altar.

Mel, meloa, doces, flores vermelhas, etc.

Ketesh

Tem equivalência a Lilitu/ Astarte.

Qetesh é uma deusa egípcia do novo reinado, mas adotada da mitologia canaanita. Deusa do prazer sexual e da natureza. Crê-se que ela seja Astarte/ Ashtoreth/ Lilitu.

Os hebreus copiaram o nome e adaptaram para Kadosh (que significa sagrado ou consagrar). Variantes do nome da deusa: Qadesh (Qedesh, Kadesh, Katesh, Qetesh, Qudshu, Qades, Quedeshot).

Em semítico QDŠ significa "sagrada"

Era representada em gravuras como uma mulher nua em cima de um leão, com uma lua crescente sobre a cabeça.

Os seus epítetos incluem "Senhora de Todos os Deuses", "Senhora das Estrelas do Céu", "Amada de Ptah ", "Grande em magia, senhora das estrelas" e " Olho de Ra sem igual". Uma conexão com Ptah ou Ra evidente nos seus epítetos também é conhecida em textos egípcios sobre Anat e Astarte.

Pode fazer rituais e invocações da Astarte ou Lilitu, trocando o nome por Ketesh, porém aqui fica o sigilo para trabalhar com essa divindade.

Lamashtu

Variantes do nome: Lamastu, Lamashtu, Lahmu, Lahamu, La-maš-tu; Kamadme.

Na mitologia acádia e suméria é uma classe de espírito incubo (masculino: Alû), e a súcubo (feminina: Lamaštu) também conhecida como Kamadme.

Note que Lilith por vezes também é descrita como um súcubo, e na umbanda e quimbanda por vezes dizem que Pomba-gira age como súcubo também.

Pode invocar Lamaštu para ter um sonho vivido ou encontro astral íntimo. Ou pedir ajuda na sua vida sexual, atrair o amor de uma pessoa, etc.

Desenhe o sigilo em pergaminho, com tinta vermelha escura (de preferência tinta ritualizada por si ou à base de sangue de dragão: *Dracaena draco L.*).

Acenda velas negras e incenso de sândalo.

Invoque:

"Anu, Enlil, Enki, Nergal,
Sete Céus, Sete Terras, Sete Senhores!
Eu tomo a Sua forma, Dimme!
Fundo a minha Sombra com o Seu Espírito de Fogo!
Eu A convoco, Lamaštu
Preencha este círculo com poder, meu Daemon revigorado com a sua Divino Sombra! Que você, Lamaštu, aceite este meu ritual, peço-Lhe expansão do meu poder!

As minhas vitórias são uma honra para Si, Lamaštu!

Lamaštu, aceite esta libação, ofereço este incenso a Si!

(molhe os dedos na água e salpique sobre o altar)

As trevas não serão úteis ou prejudiciais, mas devem nutrir-me e trazer-me prazer de caçar nas sombras!"

Oferendas no altar são, geralmente, fluídos corporais do praticante (seja sangue, ou fluído sexual) numa pequenina tigela.

Velas: Pretas, ou vermelho-escuro.

Nota:
Recomendo que faça diversos sigilos em pergaminho, pois alguns terá de queimar na chama da vela, em rituais. Outro pergaminho, por exemplo, poderá carregar sempre consigo na carteira, como amuleto.

Outra invocação:

Pegue um pergaminho com o sigilo de Lamashtu.

Um cálice com vinho tinto.

Comece por se acariciar, este é um ritual erótico, que "roça" a magia sexual.

Alcance o quase êxtase.

Faça a invocação:

"Pelo sangue de dragão, que é a minha essência também, pelas chaves da noite, eu Te invoco Lamashtu, demónio da luxúria e prazer.

Vem, dos templos esquecidos, por trás do portal do sol-poente. Vem, com centelhas flamejantes, que queimam a terra, que flagelam as almas dos vivos.

Ofereço-me, neste altar mágico-sexual, e bebo do Teu sangue,

(beba um cálice de vinho).

O meu corpo é o recetáculo para o teu fogo vivo.
Penetra a minha alma, desde o interior, preenche-me com a tua respiração, preenche os meus sonhos com êxtase ardente, fortifica a minha carne com a tua essência temível.

Proporciona-me poder para vencer os inimigos.
Eu Te invoco, em nome da deusa dragão.

In Nomine Draconis! Ho Drakon ho Megas."

Agora queime, num pires de metal, o pergaminho com o sigilo de Lamashtu. Enviando, assim, o seu pedido para o astral.

Visualize mentalmente, o seu desejo realizado.

Lúcifer

Lúcifer é um ser de luz muito evoluído e está no topo da hierarquia, entre as entidades, não é um demónio como alguns grimórios e lendas judaico-cristãs fazem crer. Esta entidade surgiu no tempo dos Sumérios como Enki (E.A), e ao longo dos séculos entre povos diferentes foi sendo conhecido por diversos nomes.

Entre os gregos é Fósforo (em grego phos: luz e o sufixo phoros: portador) significa portador da luz, entre os romanos Lúcifer (portador da luz), Lucem + ferre, lux (luz) e ferre (portador). Foi Prometeus que roubou o fogo dos deuses e deu aos humanos, luz é conhecimento e é ainda uma alusão à luz astral, etérea, prana. Na bruxaria italiana (Stregheria) fazem dele esposo de Diana, sendo Dianus Luciferu.

Na Bíblia hebraica Lúcifer era mencionado como Heylel ben-Shahar (o que brilha). Também o associam ao deus solar mesopotâmio Shamash (šamaš) senhor da luz.
Muito provavelmente é o anjo Melek Taus dos Iazidis.

No símbolo incluí o sigilo de Lúcifer, a tocha (fogo de prometeus, iluminação) os seus variados nomes, incluindo em grego e sumério.

Lúcifer tem vários nomes e aspetos: Luzbel, Enki, Fósforo, Lucifero, Luciferus, Heylel, Shamash, Lumiel (filho da manhã), Shahár (filho da Aurora).

Astro: Associado ao planeta Vénus.

A sua **cor** pode ser o branco (luz), prateado, ou violeta.

Alguns livros referem que o seu número seja o 9.

Direção: Este.

Dia: Sexta-feira (dia de vénus).

Incensos: Sândalo, mirra, olíbano, ópio.

Elemento: Ar.

Cristais: Turmalina preta, quartzo, ametista.

Atenção, a maioria de invocações a Lúcifer em grimórios são em latim e deturpadas, ofendem Lúcifer à categoria de demónio infernal, caluniam-NO e misturam dezenas de nomes de outros demónios na invocação (que nem sequer têm relação com Ele).

As restantes invocações são invenções da pura e simples imaginação dos "magos" autores.

Certos idiotas chegam a comparar Lúcifer como Satã, pensando ser a mesma entidade.

Satan (*ShTN*) é o adversário, o opositor, portanto Enlil, contudo o termo Satan foi copiado da mitologia árabe que menciona Shaytãn como uma classe de djinns.

Neste livro já incluí, em capítulos anteriores, invocações e rituais para Lúcifer, pode consultá-los, assim não irei repetir as mesmas orações.

Partilho esta:

"Lúcifer, Luzbel, Heylel, Estrela da manhã,
Eu Te invoco das profundezas do meu coração, honro o Teu nome em cada
meu respirar,
cultuo-Te e adoro-Te com cada fibra do meu ser,

Tu mostraste-me a verdadeira força, mostraste-me a Luz,
Permite-me ver aquilo que é certo para mim,
meu salvador, meu pai espiritual, meu guia, aceito a Tua orientação e
sabedoria,

Salve Lúcifer!"

Mamitu

Mamitu, também conhecida como Mammetun, Mammetum ou Mammitu é uma antiga deusa acádia do destino e adivinhação. Acreditava-se que ela residia em Irkalla (submundo) e decretava o destino de todos os seres humanos com base em caprichos arbitrários.

No entanto, quaisquer decretos que ela emitiu eram irrevogáveis, também é adorada como a deusa do juramento, mais tarde uma deusa ctónica do destino e uma juíza do submundo. É ocasionalmente considerada uma consorte de Nergal. Em algumas passagens também é descrita como um demónio.

Quando a invocar tenha em mente a sua intenção, o adequado seria para pedir inspiração, visões psíquicas, questionar sobre o seu futuro.

Cor das velas: Vermelho (paixão, fogo) e preta.
Elemento: Ar.
Incensos: Sândalo, ópio, artemísia.

Para despertar a terceira Visão:

Tome um banho, vista o robe cerimonial (limpo).

Acenda três velas púrpura, no altar.

Pode acender incenso de artemísia.

Coloque o sigilo da deusa Mamitu sobre a testa (segurando com a mão esquerda), com a sua mão direita segure um cristal ametista.

Diga:

"Deusa da profecia, Mamitu, abre a minha terceira visão, que eu possa ver o invisível, e conhecer o desconhecido. Mamitu abençoa-me com a tua visão".

O cristal ametista, deverá colocar debaixo da almofada e dormir durante a noite, para ter visões em sonhos.

Ou pode também fazer projeção astral, a pedra carregada com as energias do ritual e com auxílio de Mamitu trará informações.

Nergal

Divindade suméria, filho de Enlil com Ninlil. É uma divindade solar mas associada ainda à guerra, senhor do submundo (Irkalla). Em sumério Nergal, ou Mešlamta-ea, significa grande observador. Os Romanos fizeram sincretismo entre ele e Hèracles.

Variantes do nome para invocar: Nirgal, Lugal, Mešlamta-ea.

Correspondências:

Astros: Sol e Marte (guerra).
Cor: Vermelho.
Dia: Terça-feira.
Cristal: Obsidiana, malaquite, ónix.
Incenso: Sândalo, almíscar, cardomomo.

Oferendas: Sumo de romã, absinto, mirtilos, pão, carne (crua).

É invocado para pedir justiça ou vingança contra inimigos.

Hino a Nergal.

Traduzido do sumério.

"Herói, touro bravo com poderosos chifres, o Teu nome desperta temor e admiração. Desces sobre as terras rebeldes como o vento do Sul.

És um forte zumbido na ampla extensão de montanhas.
Quando Te sentas no trono em Ešaḫula, os Teus desejos são realizados com alegria, quando as pessoas se reúnem aos Teus pés.

Cercaste as terras rebeldes, óh Jovem Nergal, a Tua supremacia foi dominante em terras rebeldes. Teu rugido ouve-se entre as montanhas, as tropas rebeldes sofrem.

O Teu pai tornou o Teu heroísmo conhecido entre o povo.

Supremo entre os deuses, Nergal."

Outro:

"Nergal, filho de Enlil e Ninlil, concebido no submundo,
filho dos lamentos, Poderoso caçador,
Deambulante dos mistérios da noite, Senhor das armas,
Furioso,
Herói dos deuses,
Comandante dos Sebitti,
Amado de Ereshkigal,
Senhor do submundo,
Guardião do Submundo,
Senhor dos Limites,
Grande observador, Deus da ambição,
Juiz de Almas, Pastor do homem,

Salve Nergal!"

175

Feitiço simples contra um inimigo

Melhor fase: Lua minguante ou nova.
Coloque o sigilo de Nergal no altar. Pegue uma vela negra e escreva o nome do seu inimigo nela (com agulha), se tiver foto coloque-a perto (atualmente é fácil obter fotos de alguém via Facebook e imprimi-la).

Acenda a vela e peça a Nergal que ajude a afastar ou anular o seu inimigo. Pode pedir por exemplo:

"Nergal, peço-te que afastes do meu caminho (fulano/a) e retires as suas forças, ou a paz de espírito dele. Que fique sem forças para sequer pensar mais em mim".

Queime a foto na chama da vela. Depois sopre a vela (imaginando toda a energia vital dessa pessoa a evaporar), quebre a vela em 3 pedaços (como se quebrasse o corpo dele em três). Esses restos deite num lixo fora da sua casa.

Pazuzu

Divindade suméria.

Pazuzu era invocado para proteger as colheitas ou ainda para evitar que outras entidades más entrassem na casa de quem era devoto.

Correspondências:

Incensos que pode utilizar: Cedro, sândalo, mirra.

Direção: Sudoeste.

Velas: Castanho, preto.

Pazuzu representa o vento do sudoeste.

Portanto, o seu altar direcione-o para sudoeste.

Use uma mesa quadrada, em cada canto coloque uma vela.
No centro a estatueta de Pazuzu (ou o sigilo, ou uma imagem dele impressa).
No centro (acima da estatueta) coloque carvão litúrgico com algumas ervas a queimar.   No centro (abaixo da estatueta) coloque incenso.

Quando quiser agradar, pode deixar um copo de cerveja no altar, como oferenda.

Exemplo:

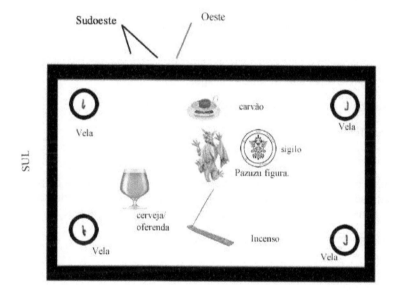

A cor das velas é consoante o propósito mágico, obviamente a chama de uma vela a arder é quase idêntica independentemente da cor da cera.

Contudo, as cores são simbólicas.

Vermelha: Para questões de sexo, amor, superar obstáculos, vitalidade.

Laranja: Obter energia, entusiasmo, coragem, criatividade, acuidade mental, realizar objetivos.

Amarela: Estudos, trabalho, parte mental, amizades, poder de concentração.

Castanha: Também para a prosperidade, vários trabalhos no geral, intelecto.

Verde: Dinheiro ou saúde, prosperidade, fortalecer defesas do organismo, sorte, renovação e esperança.

Rosa: Amor, paixão, amizades, proporciona alegria.

Azul: Obter serenidade, auxilia em processos de comunicação e na intuição, espiritualidade.

Branca: Paz, espiritualidade, é uma cor que dá para todos os trabalhos de variados assuntos.

Preta: Absorver energias negativas, desfazer bruxarias contra si, ou lançar vingança sobre adversários, repelir inimigos.

Dourada ou Prateada: Prosperidade e sorte, proteção.

Violeta: Transmutar energias.

Escolha a cor da vela que quer consoante o objetivo, imagine que é para prosperidade, acenda velas verdes, ou prateadas. Coloque uma pedra de jaspe vermelha, no altar, com umas gotas do seu sangue sobre ela.

Ponha também o sigilo de Pazuzu, no altar.

Faça a seguinte invocação:

"Grande deus Pazuzu, o mais lembrado dos deuses antigos. Filho de Hanbi, Irmão de Humbaba, guardião da sagrada floresta dos cedros. Eu (nome) chamo-Te a este local por todos os nomes conhecidos e desconhecidos, Pazuzu, Fazuzu, Pazuza."

Medite um pouco sobre a imagem / estatueta, sinta a energia de Pazuzu.

Faça a chamada:

"Vem Pazuzu, Vem Pazuzu, Vem Pazuzu, mostra-me o Teu poder, que a minha vontade se realize (pedido.)"

"Senhor da Morte Vermelha, ó meu Senhor Pazuzu,

Assim como o Sol, todos dias nasce e todos dias morre, ainda assim é Imortal. Aceita esta oferenda de sangue e concede a este teu fiel seguidor a chuva de ouro e prata. A minha bolsa está vazia neste momento e eu choro lágrimas. Peço-Te pelo poder do Touro Celestial que se encha de prata a minha bolsa."

A pedra jaspe, use-a no bolso como amuleto.

Se quiser um ritual para **destruir ou afastar inimigos**, use uma ónix preta em vez da pedra jaspe e utilize velas pretas.

A Invocação final será ligeiramente adaptada:

"Senhor da Morte Vermelha, ó meu Senhor Pazuzu, assim como Sol, todos dias nasce e todos dias morre, ainda assim é Imortal. Aceita esta oferenda de sangue e livra este teu fiel seguidor de toda e qualquer maldição que impede de obter aquilo que desejo."

"Reafirmo o meu pedido grande deus Pazuzu concede-me libertação e depois volta para a sagrada floresta dos Cedros, pois, com sangue tudo acaba."

A ónix, enterre perto da casa, ou à entrada da casa do inimigo(a).

Para a Saúde:

Utilize duas velas vermelhas e duas verdes. Uma pedra cristal hematite ou aventurina verde. Faça as invocações iniciais a Pazuzu, depois o pedido final é o seguinte:

"Senhor da Morte Vermelha, ó meu Senhor Pazuzu, assim como o Sol todos dias nasce e todos dias morre, ainda assim é imortal. Aceita esta oferenda de sangue. Meu Senhor neste momento peço-Te que afastes o poder de Namtara do meu corpo, mente e espírito (nome)."

Coloque o cristal sobre o seu peito, imagine que ele absorve qualquer doença sua.

Ou então imagine que o cristal irradia energias de cura para si...Etc.

Dias depois, o cristal pode ser atirado ao mar.

Para um ritual de **amor**, **atrair amor** de certa pessoa.

Use duas velas rosa e duas velas vermelhas.

Use uma foto da pessoa amada, pingue gotas do seu sangue sobre a foto e deixe-a em cima do carvão litúrgico a queimar, para enviar para o astral essa energia.

Faça a invocação inicial a Pazuzu, depois faça o pedido:

"Senhor da Morte Vermelha, ó meu Senhor Pazuzu,
Assim como o Sol todos dias nasce e todos dias morre, ainda assim é imortal.

Aceita esta oferenda de sangue. O meu amor e desejo por (nome) é grande, ainda assim apenas com amor não consigo chegar ao coração de (nome), peço-Te meu senhor isto pelo Templo Branco de Uruk.

182

Assim como o Templo branco de Uruk casa Inanna, Rainha dos céus, senhora absoluta do sexo e do amor, liga terra aos céus, que o coração de (nome) seja ligado ao meu."

"Deus Pazuzu, que (nome), ganhe amor e desejo sexual por mim para que eu não sofra mais desse castigo dos deuses depois volta para a sagrada floresta dos Cedros, pois, com sangue tudo acaba."

Sekhmet

É uma deusa solar egípcia, diz-se que Ra a criou com um raio de fogo do seu olho. Sekhmet deriva de sḫm e significa poderosa ou temível, surgia como uma mulher e cabeça de leoa. Algumas lendas diziam que os ventos quentes do deserto seriam a respiração de Sekhmet.

Variantes: Sakhmet, Sekhet, Sakhet, Saekmis.

Símbolo:
contém o símbolo que é um misto de símbolo astrológico de leão e uma flecha. Deusa leoa guerreira, então inclui duas espadas egípcias Khopesh, que a deusa guerreira por vezes empunhava. E o seu nome em hieróglifos, grego e egípcio

185

Correspondências:

Cores: Amarelo, vermelho, laranja.
Cristais: Olho de tigre, âmbar, basalto, hematita, granada.
Números: 7 e 5.

Os números são relevantes, por exemplo, para ver a quantidade de velas num ritual.

Incensos: Mirra, sândalo, sálvia, âmbar, almíscar.

Oferendas:
A maioria de oferendas baseia-se no que os egípcios ofereciam em rituais, pode ser leite, cerveja, pão, frutas. Mas tendo em mente que Sekhmet é uma deusa leoa, pode deixar alguns pedaços de carne, num pires.

Sekhmet era uma deusa associada a vários poderes, guerreira, desde o poder da cura (patrona dos curandeiros e praticantes de reiki egípcio, associada à energia Sekhm), banir inimigos e dificuldades.

Pode solicitar a Sekhmet inspiração, visões, ajuda para conseguir superar obstáculos, alcançar força interior, superar anseios, etc.

Para homenagear Sekhmet utilize velas associadas à sua cor (vermelho, laranja, amarelo), porém se for para um ritual específico use outras cores (preto para repelir inimigos, desfazer bruxarias, etc.). Vermelho para o amor. Verde para saúde, etc.

Coloque no altar um tecido vermelho-escuro, por exemplo.

O sigilo de Sekhmet.

Uma estatueta de leoa 8ou cabeça de leoa) ou a gravura de Sekhmet impressa a cores.

Um copo com cerveja, frutos, pão.

Uma saudação simples:

"Dua Sekhmet! Deusa Sekhmet, peço-Te que Te unas a mim esta noite, peço respeitosamente que me forneças a Tua sabedoria, orientação e apoio.

Respeitosamente peço que me ajudes a alcançar (pedido, objetivo)."

Hino para Proteção:

"Ó Sekhmet, olho de Rá, grande deusa da Chama,
Senhora da proteção que envolve o seu criador,
Vem em direção ao Rei, Nb-twy (Senhor das Duas Terras). . .

Proteje-o e preserva-o de todas as flechas, e todo mal deste ano. . .

Ó Sekhmet, que enches os caminhos com sangue, Que matas até aos limites de tudo que vê, Aproxima-Te da imagem viva, o Falcão Vivo, Proteje-o e preserva-o de todo o mal, e todas as flechas deste ano."

Dimensões Obscuras e sistemas Mágicos - Asamod © 2021

Sobek

O deus crocodilo Sobek representa o crocodilo do Nilo que os egípcios temiam e respeitavam, também solicitavam pela sua proteção.

O seu culto foi particularmente ativo e predominante nas XII e XIII dinastias, na transição do Império Médio para o Segundo Período Intermédio, por volta dos séculos XVIII e XVII a. C.
A lenda brasileira da "cuca" inspirou-se nesse deus. Haviam outros deuses com cabeça de crocodilo no Egito, como o Khentekhtai, por exemplo.

O seu nome grego era: Suchos (derivado à espécie de crocodilo Crocodylus suchus). O crocodilo é um réptil e simboliza o nosso cérebro reptiliano (instinto de luta, sobrevivência, guerreiro) e o nosso subconsciente (pois o crocodilo vai bem fundo nas águas do rio).

No egipto o deus Sobek representava fertilidade, poder real, poder militar. A raíz *Sbk* ou *s-Bak* significa impregnar, fertilizar. Era considerado um deus solar e por vezes um aspecto de Ra como Sobek-Ra.

Os seus principais centros de culto no Antigo Egito eram dois: Fayum e Kom Ombo. Em alguns templos haviam tanques com crocodilos "sagrados", chegavam a ser mumificados após a sua morte.

O demónio Goético "Sabnock" muito possivelmente foi inspirado no nome de Sobek.

Sobek resgatou os quatro filhos de Hórus reunindo-os numa rede nas águas do rio, onde eles se ergueram depois numa flor de lótus. Sobek tinha uma mão no submundo. Ele poderia trazer a visão aos mortos e avivar os seus sentidos. Também chamou Ísis e Néftis para ajudar a proteger os mortos.

Nalgumas regiões da índia os crocodilos eram também venerados, em certas gravuras pode ver-se o senhor Mata Parvati sentado num crocodilo.
O senhor das águas Varuna Bhagavan usa um crocodilo como meio de deslocação, por vezes, outros deuses dos rios também o faziam.
Algumas pessoas atiram oferendas aos crocodilos do rio Ganges (comida) para obter bençãos do senhor Bhagavan e proteção.

O sigilo inclui o nome de Sobek em hieróglifo, português e egípcio.
Ainda inclui um símbolo africano Adinkra de dois crocodilos, denominado
Funtumfunefu Denkyemfunefu, simboliza união, porém adaptei-o e no centro
está um olho de crocodilo. O olho simboliza a omnisciência, de Sobek, que
tudo observa.

Correspondências:

Velas: No altar utilize velas verde-escuras ou pretas.
Tecido do altar (toalha) pode ser verde ou azul-escuro.
Uma tigela com o elemento água deve estar presente (Sobek representa os
crocodilos do rio Nilo).

Incensos: Sândalo, mirra, olíbano.

Planeta associado: Saturno.

Coloque uma estatueta de crocodilo.

Oferendas: Como oferenda pode deixar um pires com peixe ou frango (cru).

Invocação:

"Sobek, Senhor da Eternidade, Que brilha na luz forte,
surges de Nun (águas primordiais),
Louvado sejas, Magnífico Senhor!
Afiado de dentes e verde de Pluma,
Aquele que se alegra com o incenso,

Eu submeto-me a Ti, bravo Deus.

Senhor Sobek, guardião da Terra, humildemente peço a Tua proteção, para
que eu e as pessoas próximas a mim possamos viver em paz.

E aqueles que me desejam mal sintam a Tua raiva pura e desenfreada.

Grande crocodilo, que faz o Sol brilhar, banha-me na Tua luz pura, Para que
todo o medo saia do meu corpo.

Senhor do Nilo, cujas águas trazem fertilidade à terra,
oro para que Tu possas purificar-me nas Tuas águas,
Para que eu possa ser limpo de Isfet.
Acima de tudo de coração e doce de amor,
Amado Sobek, que mora no meu coração,

Dua Sobek!

Nota: Isfet era a serpente do mal. Dua significa saudação.

Hino:

"Saudações a Ti, Sobek, o primeiro a existir
Eu Adoro-Te, Sobek, o primeiro dos gémeos
Dua Sobek, Grande Criador cósmico,

Eu te Saúdo, Sobek, estrela do Universo,
Dua Sobek, Ptahtanen, a primeira Terra
Dua Sobek, Senhor do Nilo
que resgatou os filhos de Hórus
Dua Sobek, protetor do Trono

191

Senhor de Kom Ombo
Sobek, que lançou o primeiro ovo
Eu te Adoro Sobek, Grande verde que emergiste de Nun,
Sobek, Força do Rei, o Eterno
Dua Sobek, que criou o céu,
Senhor do Horizonte que brilha com esplendor,
Senhor do Oásis, Senhor de Faiyum,

Dua Sobek, Grande curador

Dua Sobek, que está na margem do Nilo".

Tiamat

Como referi inúmeras vezes, os hebreus demonizaram vários deuses antigos, a deusa suméria Tiamat (Tiamate) foi representada como um dragão ou serpente marinha.

Ta significa serpente e Yam (marítima), Ta-yam-t. O demónio da mitologia semita Leviatã (lo-tan) possivelmente foi inspirado nela.

Na realidade Tiamat representa o ovo cósmico ou a criação do Universo e as águas primordiais (o Universo poderia ser visto como um vasto oceano, os egípcios tinham também o conceito de Nun: águas primordiais), inclusive hoje alguns cientistas teorizam que o Cosmo seja um superfluido. Superfluid vacuum theory (SVT).

Tiamat é a criadora do Universo, todos os deuses sumérios foram criados por ela. A grande "Mãe". A serpente, na mitologia de alguns povos antigos, é sempre alusão à via láctea (o "braço" visível da nossa galáxia, que se assemelha a uma serpente estrelada no céu), um exemplo é a deusa Nut egípcia.

A sua equivalente na mitologia finlandesa é Ajatar, na mitologia estoniana é Äijattar. A palavra acádia para oceano era ti'amtum.

Certos cultos esotéricos extraterrestres dizem que Tiamat é alguma rainha extraterrestre oriunda da constelação de Draco (Dragão).

Variantes do nome, e divindades sincretizadas:

Tiamat, Ta-yam-t, Thiamat, Ti-amat, Thavatth, Tiahamtu, Tamtu, Tiawath.

Para os caldeus era Thavatth.

Os gregos tinham uma deusa (copiada de Tiamat) que era Tálassa.

Correspondências:

No altar pode colocar uma estatueta ou imagem de Tiamat, ou de uma serpente mitológica, ou melhor: O sigilo de Tiamat.

Ela representa vários elementos, mas pode colocar uma tigela com o elemento água, certamente.

Elemento: Água.

Incenso: Na antiga suméria utilizavam sândalo, mirra, para os rituais.

Vela: Preta ou castanha-escura.

Cristais: Obsidiana, quartzo fumado, piroxena, Nuumite, pedra da lua negra (existe a variante branca leitosa, mas opte pela negra).

O sigilo desenhe em pergaminho, com uma tinta de caneta gel (mais espessa e fluida) vermelha-escura, para simplificar.

Porém, se tiver paciência e dedicação, adquira numa loja esotérica tinta de dragão (dragoeiro; *Dracaena draco L.*) e coloque na recarga de uma caneta de tinta permanente, para desenhar o sigilo.

Inicialmente imprima o sigilo numa folha branca, depois com lápis de carvão e papel vegetal copie, e "transfira" então o desenho traçando por cima e com o pergaminho por baixo.

Em seguida, desenhe com a caneta permanente sobre o desenho que ficou "transferido" no pergaminho.

Hino:

"Deixa as Tuas águas fluírem frescas, Deixa as Tuas águas brilharem,
Revela-me a minha escuridão, Mostra-nos a minha luz,
Ensina-me sobre amor compaixão e sabedoria,
Ensina-me sobre a fúria, Justiça e visão criativa.

Conduz-me através das tempestades, Ensina-me a enfrentar mares agitados,
Proteje-me do engano.
Ensina-me a ver o longo e o profundo.

Honra-me, deusa serpente, grande Tiamat, que nos leva bem longe,
Eu honro-Te, Tiamat!."

Tiamat pode ser invocada para qualquer propósito, desde afastar ou vingar-se de inimigos, solicitar proteção ou vidência.

Pode colocar uma tigela preta com água, e dentro um cristal (obsidiana, quartzo fumado) e observar a água para ter visões, método de *Scrying*.

De preferência utilize água do oceano.

Faça uma afirmação, do género:

"Tiamat, Tiamat, das profundezas...Deixai-me ver. Mostre-me as revelações".

Tiamat fala:

"Antes de guiar pela primeira vez a mão do Escriba,
Quando a língua sozinha serviu como a pena,
e somente a memória serviu como a tábua do destino;
Quando a cifra de sabedoria residia em cântico e encantamento,

Então primeiro dei o Fogo da Arte Sagrada da magia ao homem, Em seguida,
lancei as efígies visíveis desse poder das suas residências invisíveis;
Sim, dos reinos esquecidos entre as estrelas e a terra dos dois irmãos, o
dragão com chifres da minha adoração surgiu !
E pela força crescente da minha adoração o dragão tornou-se uma serpente
de muitas cabeças,
As suas línguas ardentes tendo adiante o discurso em todos os reinos da
terra.".

Sigilos

Sigilos podem ser criados de variadas formas, símbolos abstratos consoante o seu subconsciente desejar, depois pode "carrega-los" de energia e intenção num ritual. Existem ainda tabelas numerológicas (pitagórica, e outras) e círculos de letras para desenhar um sigilo consoante os nomes.

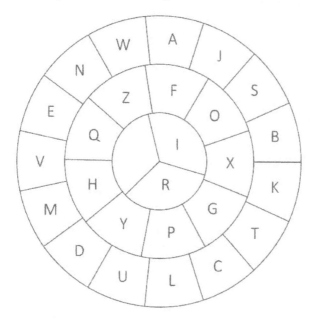

Exemplo para: ASTORETH.

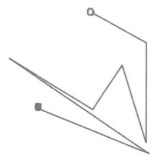

Coloque papel vegetal sobre o círculo. Na primeira letra faça um círculo branco, depois trace um traço até à seguinte letra, por fim na última letra termine com um círculo preto.

Exemplo para SEKHMET:

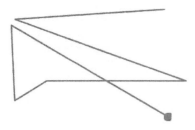

No meu livro "Vampyros Magicae - Magia Vampírica Real" explico como desenhar alguns sigilos e projetar (método do fosfenismo) na pessoa-alvo. Um método que criei para influência remota que denominei por *Dark Reiki*, ou *Reiki obscuro*.

Ervas mágicas

Aparte do incenso de cada divindade, citado nos rituais.

Pode ainda fazer uma combinação de variadas ervas (para queimar todas juntas, no incensário) para vários fins:

Limpeza espiritual:
100 g de Mirra, 100 g de cânfora, 100 g de louro, 10 g de Arruda, 25 g de Açafrão.

Queime tudo junto num prato de metal ou tigela de metal.

Consagrar o Altar e utensílios:
Rosmaninho, âmbar (resina fóssil), mirra, sândalo, anis, canela, gengibre, almíscar, açúcar amarelo (1 colher pequena), moer bem num pilão, depois queimar.

Passe os utensílios pelo fumo.

Sorte:
Canela em pó, benjoim, âmbar, tomilho, mirra, almíscar, hortelã (seca, reduzida em pó no pilão), triture tudo em pó, depois queime.

Passe o fumo percorrendo todas as áreas da sua casa ou negócio.

Contra bruxarias:
Arruda, noz-moscada, pimenta, sândalo, mirra, lírio.

Para estudos:
Cânfora, canela, mirra, noz-moscada, louro, lírio.

Atração amorosa:
Almíscar, canela, coentros, cravo, rosas, jasmim, verbena.

Atrair dinheiro:
Canela, louro, gengibre, estòrax (um tipo de resina). Reduzir tudo a pó, queimar.

Projeção astral:
Álamo, artemísia, fresno, jasmim, sálvia.

O feto (Polypódium vulgare L.), associado à energia de Saturno, repele os maus espíritos.

Meimendro (Hyoscyamus niger l.) associado à energia de Júpiter, proporciona alegria e sabedoria.

A Arnica (Arnica montana) é associada a Marte e proporciona coragem.

A Verbena (Verbena officinalis), associada a Vénus, confere talento, amor, alegria.

Amaranto (Amaranthus), as flores de Amaranto, levadas no bolso, facilitam obter favores e ajuda dos importantes.

A betónica (Betonica officinalis L.), levada no bolso protege contra bruxarias.

O Dictamno (Dictamnus Albus), as folhas e flores dessa planta, secas e queimadas como incenso conferem visões.

Tipos de Velas

Além das velas de cores, listadas em cada ritual de cada divindade, poderá utilizar velas em formatos específicos consoante o propósito almejado.

Exemplos:

Velas de 7 nodos (tem 7 pavios, ao redor do corpo): servem para causar intranquilidade ao alvo, distúrbio, ou trabalhar com 7 entidades.

Velas em formato de homem ou mulher: para influenciar uma pessoa. Utilizam-se negras para causar o mal ou romper relações (vela em formato de casa, por exemplo).

Se for vermelha adequa-se a trabalhos amorosos/ sexuais.

Velas em formato de crânio/ou cabeça humana ou caveira (consoante): serve para causar confusão mental no alvo, esquecer alguém ou atração (se for vermelha). Dominar.

Velas em formato de tesoura: "Cortar" algo. Se for negra serve para cortar bruxarias, se for vermelha serve para cortar relacionamentos, etc.

Velas que contêm enxofre na composição: para limpeza astral, destruir inimigos, derrubar.

Velas em formato de ferradura, ou trevo: sorte.

Nota final

Caro leitor, cada livro reflete a linha de pensamento do autor. Não existem livros iguais, entre milhares de livros.

Alguns leitores possivelmente não concordam com a minha linha de pensamento, cada um deve buscar a sua própria verdade. Estudo e pratico ocultismo há trinta e cinco anos, aprendi e frequentei grupos ocultos e sistemas mágickos diversos.

Aprendi que não podemos ficar agarrados aos conceitos do passado e que nenhum grimório é a "verdade suprema", a espiritualidade evolui. Há que romper velhos paradigmas e progredir.

Livros de astronomia, filosofia, ou de medicina antigos, hoje já estão desatualizados porque o conhecimento evoluiu.
O mesmo ocorre com a magia, conceitos da Era Medieval diferiam dos atuais, pois a mentalidade dos magos e estudiosos de outrora era outra, hoje possuímos acesso a mais conhecimento.

Se alguns cultos ainda desejam adorar "demónios" grotescos que são gravuras horrendas e deturpadas pelo imaginário Judaico-cristão, e acreditam que estão a invocar forças infernais, azar o deles.

Demónios é uma palavra roubada do termo *"daimones"* que significa espíritos ou mensageiros, a Igreja tornou todos os deuses pagãos em "demónios" para que o povo não os cultuasse. Ao longo dos séculos essas egrégoras foram sendo alimentadas pela crendice, pelo medo e pelo inconsciente coletivo. Centenas de grimórios foram sendo escritos baseados nessas lendas e figuras mitológicas (algumas inventadas, como as entidades de Lovecraft em Necronomicon).

Cada um é livre de escolher quais entidades cultua, ainda que sejam ilusões. Uns acham-se poderosos por praticar Goétia, ou Thelema, ou Cabala, ou ainda Satanismo, sem se aperceberem que estão a invocar egrégoras/ pensamentos-forma. Há tolos que invocam demónios pelos nomes, sem saber que essas entidades são anagramas de outros nomes (divindades de outras religiões).

Exemplo Astaroth, na verdade, é a deusa fenícia Astarte (a babilónica Ishtar), cultos ufológicos também roubaram o nome e criaram o comandante Ashtar Sheran. Belial foi roubado do deus fenício solar e da fertilidade Baal (também conhecido como Beliel). E o deus dos moabitas Baal-Peor foi demonizado pela igreja e tornou-se Belfegor.

Quem invoca esses demónios continua a evocar egrégoras e a acreditar nas ilusões da igreja que hipocritamente demonizou deuses fenícios, babilónicos, celtas, egípcios, romanos, etc.

Prefiro seguir o conhecimento verdadeiro, investigar por mim mesmo, cultuar entidades com vida própria e reais. Separar o trigo do joio, romper velhos paradigmas, indagar, investigar, progredir.

Reconheço quais as entidades verdadeiras por trás das máscaras e ilusões.

É melhor lidar com os resultados do conhecimento do que com as consequências da ignorância.

Magos de verdade, são médiuns experientes com a faculdade de vidência, e de canalização espiritual, bem desenvolvidas, que vão beber conhecimento diretamente à fonte. Que conseguiram romper o véu de Māyā (ilusão).

«Talvez um dia o Homem esteja evoluído o suficiente para compreender os desígnios de algo maior que ele, e nesse dia verá que nunca esteve sozinho neste plano e talvez consiga entender o que é, de fato, a Grande Obra, os vários caminhos que tecem a teia da evolução, pois nem tudo o que nos parece prejudicial e destrutivo tem como finalidade a queda, muitas vezes é necessário que se caminhe pela escuridão para que se perceba a Luz»

(Nexus. Polaris)

Recomendo os meus outros livros

"Vampyros Magicae – Magia Vampírica Real".

"Formulário Mágico - 620 Feitiços".

Com este, é o terceiro livro, em breve publicarei mais. Encontre-os na Amazon ou Bookmundo.

Bibliografia

Embora tenha adaptado imensa informação e 70% tenha sido canalização espiritual, ao longo dos anos aprendi bastante ao pesquisar manuais de Ocultismo e a praticar, consultei ainda vários cadernos antigos de apontamentos que tenho.

SpellsofMagic.com

Pesquisas Wikipédia

Recomendo algumas obras, como:

"No Reino da Feitiçaria" (N. A. Molina)

"Las Claves de Lug". (J. Bosch).

"Formulário de Alta Magia" (Pierre Vincent Piobb)

Leis da Magia (adaptado de textos de Isaac Bonewits).

E-zines "Lucifer Luciferax".

Magia do Caos- Criar entidades astrais e servitors.

"Medu Neter" (Ra Un Amen Nefer).

"The Gods of The Egyptians". (E. A. Wallis Budge).